FOLIO
JUNIOR

Dans la même collection

Ancien Testament I
Héros de la mythologie grecque
Tristan et Iseut
L'Iliade
Récits, légendes et traditions du Coran
L'Odyssée
Dieux de la mythologie grecque
Dieux et héros des Romains
Gargantua suivi de Pantagruel
La malédiction des Nibelungen
Le Roman de Renart

Collection dirigée par Claude Gutman

Présentation générale

Qu'ils soient nommés « fondateurs », « fondamentaux », « essentiels »..., certains livres ont eu une telle importance dans l'histoire des civilisations, à différents moments de leur existence, qu'il semble indispensable d'en proposer la lecture, permettant ainsi au lecteur de posséder les outils nécessaires pour déchiffrer le monde qui l'entoure. Si un « cheval de Troie » attaque son ordinateur, c'est que l'*Iliade* et l'*Odyssée* continuent toujours à nous solliciter.

Offrir ces textes universels, c'est mesurer le chemin parcouru depuis leur naissance, en revenant aux sources, pour montrer ce qu'ils étaient précisément, dépouillés de toutes les déformations subies par les siècles. C'est cesser de confondre les œuvres elles-mêmes avec les commentaires, histoires, légendes qui les accompagnent.

Nous retournerons donc aux textes, à leur authenticité chaque fois que nous le pourrons, sans nous interdire, s'il le faut, d'autres formes d'approches plus aptes à présenter ces textes universels à un vaste public. Nous nous fonderons, autant que faire se peut, sur les textes originaux (en hébreu, en grec, en latin, en chinois...) dans des traductions nouvelles écrites dans un français contemporain et compréhensible. Ni savant, ni démagogique, dans le respect du lecteur et des œuvres, Folio Junior Les universels forme l'entreprise d'offrir à la lecture contemporaine des ouvrages parfois vieux de plusieurs milliers d'années et qui sont le socle de notre culture qu'on ne saurait limiter au monde occidental. Il est des « essentiels » comme la Bible ou le Coran... Il en est d'autres d'Asie, d'Amérique du Nord ou du Sud, des pays nordiques, d'Afrique... qui méritent tout autant d'attention. Nous ne nous interdisons aucune piste pour offrir aux lecteurs ces assises culturelles sans lesquelles nous ne serions pas qui nous sommes.

Notre volonté sera marquée par la simplicité, la lisibilité. Nous voulons donner envie de lire.

À celui qui voudrait approfondir ses savoirs, un cahier illustré — qui ne prétend à aucune exhaustivité — donnera quelques clés nécessaires pour décrypter les œuvres d'art qui l'entourent et qui sont nées de ces textes. Qu'en est-il de la peinture, de la littérature, de la sculpture, de la musique, du cinéma, de la publicité... issus de ces ouvrages qu'on croit arides, à tort ? Rien de rebutant, rien de pédant : juste quelques pistes pour aller plus loin. Si nous y parvenons, ce sera un pas fait vers les autres, leurs cultures, par le biais des textes. Se réapproprier son héritage culturel et s'ouvrir à celui des autres : un objectif à la fois modeste et ambitieux. C'est le pari de Folio Junior Les universels.

Claude Gutman

Contes des Mille et Une Nuits

Récits adaptés et racontés
par Marie-Ange Spire

GALLIMARD JEUNESSE

Introduction

Qui ne connaît pas la belle Shéhérazade[1] ? Quel enfant n'a jamais été fasciné par le génie de la lampe merveilleuse d'Aladin ? Quel lecteur n'a pas rêvé d'ordonner à une porte taillée dans la roche de s'ouvrir pour, l'espace d'un instant, découvrir comme Ali Baba une caverne remplie d'or et de pierres précieuses ? Autant de noms mythiques et de situations magiques qu'il suffit d'évoquer pour s'évader vers des terres exotiques suspendues comme un tapis volant entre imaginaire et Orient. *Les Mille et Une Nuits* construisent un espace féerique, invitation à l'épanouissement de tous les sens.

Transmises oralement ou consignées dans plusieurs manuscrits, *Les Mille et Une Nuits* nous sont parvenues sous forme d'une compilation qui se présente aujourd'hui comme une succession de cent soixante-seize contes ou récits enchâssés dont dix-neuf fables animalières. À ce corpus qui peut varier d'une traduction à l'autre viennent s'ajouter deux autres contes de sources différentes, l'histoire d'*Ali Baba et les quarante voleurs* et celle d'*Aladin ou la Lampe merveilleuse*. Les premières traces de cette œuvre anonyme remontent au VIIIe siècle

---

1→ Orthographe occidentale. On trouve également la transcription phonétique Shahrazade.

en Perse où sont rapportés et sans doute traduits des récits, des contes et des fables nés en Inde. C'est Al-Mas'ûdi, historien célèbre, qui mentionne dès le Xe siècle, à Bagdad capitale du royaume abbasside[1], l'existence d'un ouvrage d'origine étrangère traduit en arabe le *Hézar afsâné* («Mille récits extraordinaires»). Il le décrit comme un livre connu du public sous le nom de *Mille et Une Nuits* (*Alf layla wa-layla*) et ne semble lui accorder aucune valeur littéraire. Il le considère comme une création de troubadours soucieux de séduire les cours princières. De son côté, un libraire de la même époque, Ibn an Nadîm, recense parmi la production poétique arabe une somme des légendes extraordinaires très appréciées pendant les soirées organisées dans les palais des dignitaires du royaume. De la même façon, il juge que cet ouvrage qui s'étend sur mille nuits mais qui rassemble moins de deux cents récits racontés dans une langue assez pauvre est un texte sans valeur stylistique. Aux légendes dites par des conteurs viennent s'ajouter des œuvres déjà composées écrites ou traduites en persan avant de l'être en arabe. Dans cette stratification, qui, dans son ensemble, échappe aux règles de la littérature classique moyen-orientale de cette époque, s'insèrent également des contes nouveaux colportés au gré des échanges commerciaux. Aux XIe et XIIe siècles, alors que l'Empire abbasside s'éteint, c'est au Caire, sous la dynas-

---

1→ Les Abassides, descendants d'Al-'Abbas (oncle du prophète Muhammad), forment une dynastie dont le règne s'est étendu du VIIIe siècle au XIIIe siècle.

tie des Fatimides[1], que resurgissent *Les Mille et Une Nuits* enrichies de nouvelles histoires merveilleuses. Les génies et la magie font leur apparition et le petit peuple égyptien devient source d'inspiration.

Huit siècles sont nécessaires à la mise en forme de ce recueil qui s'achève au XVIe siècle comme en témoignent certaines copies de l'époque ottomane[2] où sont évoqués le café, le tabac ou les armes à feu.

Il faudra attendre deux siècles encore pour que l'Occident découvre ce trésor oublié. Au XVIIIe siècle, Antoine Galland traduit sous le titre de *Contes arabes* l'histoire de Sindbad le Marin par exemple. Il n'hésite pas à l'adapter aux goûts de la société de son temps très friande de ce genre littéraire comme de cet exotisme oriental rapporté par les nombreux récits de voyage. Croyant découvrir un manuscrit plus complet en Syrie, il poursuit sa tâche. Onze volumes composent *Les Mille et Une Nuits* de cet érudit qui, à son tour, enrichit, voire modifie le corpus en s'inspirant de sources différentes. Enfin, deux éditions publiées au XIXe siècle, dites de Bûlâq et de Calcutta présentant la compilation de l'ensemble des écrits servent aujourd'hui de base aux nouvelles traductions[3].

Les origines diverses des *Mille et Une Nuits* convergent

1→ Du Xe au XIIe siècle, le califat des Fatimides instauré en Égypte conteste le pouvoir des Abbassides.
2→ Empire ottoman fondé par les Turcs (XIIIe siècle-début du XXe siècle).
3→ Notamment la traduction de Jamel Eddine Bencheickh et André Miquel dans la « Bibliothèque de la Pléiade », Gallimard.

vers un merveilleux qui, intégrant à la fois l'histoire collective des hommes et celle de l'individu en prise avec ses contradictions, ses inquiétudes et ses passions, transporte le lecteur dans une dimension universelle. *Les Mille et Une Nuits* puisent leur diversité dans un fonds commun aux légendes indiennes et perses, aux mythes grecs et à ceux de l'ancienne Mésopotamie ou de l'Égypte des pharaons. Cependant, elles n'en restent pas moins revisitées par une religion nouvelle, l'islam que l'Empire arabo-musulman a imposé par la conquête de nouveaux territoires qui s'étendent de l'Espagne, à l'ouest, jusqu'à l'Asie centrale, à l'est. Dans cette œuvre du Moyen Âge, des contes arabes, où les éloges du prophète tiennent une place essentielle, sont enchâssés dans des récits d'origines multiples, transmis puis modifiés et adaptés à la culture, à la religion et à la langue de cette civilisation en pleine expansion. Il y est aussi question de cohabitation avec les chrétiens et les juifs, d'affrontements avec les Byzantins et les Francs au temps des Croisades. Les préoccupations de ces auteurs anonymes rappellent fortement celles de la littérature occidentale à la même époque.

Ce recueil, loin d'être une somme de légendes merveilleuses, offre au lecteur un large éventail des principaux genres représentatifs de la littérature médiévale : chanson de geste, épopée, roman courtois, contes satiriques, contes animaliers et fables. À la diversité géographique et chronologique vient s'ajouter la diversité littéraire organisée et structurée par un « conte-cadre » où la dimension tragique prend sa place. L'héroïne qui est aussi la narratrice, Shéhérazade, sauve sa vie et celle des autres femmes du royaume en tenant en haleine le tyran cruel comme le lecteur subjugué, tous deux pris au piège de leur curiosité. En prononçant la formule magique « On raconte encore, Sire, ô roi bienheureux, qu'une fois… », cette courtisane entraîne son auditoire dans un monde hors du temps jusqu'à ce que l'aube l'oblige à suspendre son récit et son exécution.

C'est le stratagème que la fille aînée du grand vizir a imaginé pour détourner de son projet meurtrier, Shâhriyâr, ce roi perse qui, trahi par sa première épouse, a ordonné la mise à mort de toutes les femmes, favorites servantes et esclaves résidant au palais. Il a imposé pendant des années à son vizir de lui livrer chaque soir une jouvencelle et de l'exécuter le lendemain de sa nuit de noces. Shéhérazade a réussi à convaincre son père de la conduire auprès du sultan pour sauver ces familles terrorisées qui cachent leurs filles comme elles le peuvent espérant échapper au sort cruel qui leur est réservé. Pour réussir, elle a eu besoin du soutien de sa sœur Dounyazade qu'elle a informée de son plan. Le tyran après avoir juré qu'il n'accorderait aucune faveur à Shéhérazade l'autorise à recevoir Dounyazade une dernière fois.

Comme convenu, dès la première nuit, alors que sa majesté s'apprête à s'endormir, la cadette prie son aînée de lui conter une de ces belles légendes dont elle a le secret. Quand l'aube paraît, Shéhérazade s'interrompt ménageant le suspense.

Et c'est ainsi que durant mille nuits, la fille du grand vizir, la belle Shéhérazade raconte des histoires merveilleuses choisissant le moment le plus passionnant pour se taire lorsque la lueur du jour s'infiltre dans la chambre. Subjugué, chaque matin, le terrible sultan reporte au lendemain la condamnation et attend avec impatience la tombée de la nuit, moment où il demandera à l'habile conteuse de poursuivre son récit. À la mille et unième nuit, elle est devenue l'épouse du roi Shâhriyâr et la mère de ses enfants. Il la chérit tendrement. Grâce à son talent elle a libéré les femmes du royaume de la menace que le tyran a trop longtemps fait peser sur elles.

Cependant Shéhérazade n'est pas la seule héroïne des *Mille et Une Nuits*. Elles sont nombreuses celles qui à la frontière de la légende, de la réalité humaine et du rêve nous transportent dans un univers merveilleux où se mêlent divertissement et méditation. L'élément féminin est souvent doué de pouvoirs maléfiques. Ces femmes perfides, rusées présentées comme source de malheur des hommes sont aussi dans d'autres contes des savantes très cultivées à l'image de Shéhérazade qui réussit non seulement à sauver sa vie mais à transformer un despote redoutable en un souverain éclairé en lui donnant le goût de vivre. Si la femme évolue dans une société patriarcale qui la violente, elle peut aussi parfois s'imposer par sa beauté et son érudition. C'est surtout sa maîtrise de la langue qui rend Shéhérazade maîtresse du jeu et lui permet de dominer le monde cruel des puissants. D'autres personnages types comme le commerçant, le prince, le vizir ou le voyageur animent la galerie de portraits. Tous, fidèles croyants respectueux des préceptes islamiques, deviennent héros de leurs mésaventures qui leur font connaître la trahison, le vol, la faim, l'exil ou la pauvreté. Chaque périple est l'occasion d'une rencontre avec un interlocuteur ayant lui aussi des anecdotes à raconter. Ainsi même les animaux se métamorphosent en êtres doués de parole. Enfin des génies soit démons soit protecteurs côtoient des gens célèbres, califes ou poètes ayant eux réellement existé.

Pour le plus grand bonheur du lecteur, le conteur ne s'est pas embarrassé des contraintes liées aux réalités historiques ou sociales de son temps mais il a soumis ses récits à la fantaisie et à la magie de l'imaginaire, à la puissance de la parole pour restituer des fables universelles capables à la fois de divertir l'amateur et d'inspirer des artistes qui revendiquent leur filiation avec ce texte essentiel.

Quelques repères historiques

Même si le propos des contes des *Mille et Une Nuits* n'est pas de retracer l'histoire de l'Empire musulman, la présence de nombreuses références avec lesquelles le conte joue librement nécessite quelques rappels historiques.

En 632 apr. J.-C., à la mort de Muhammad, vont se succéder quatre califes, anciens compagnons du prophète (Abû Bakr, Umar, Uthman, et Ali à la fois son gendre et cousin).

Dès 660 apr. J.-C., avant même l'assassinat d'Ali, Mu'awiyya, ancien secrétaire du prophète, fonde à Damas l'**Empire omeyyade** qui, durant quatre-vingt-dix ans, développe et étend la civilisation arabo-musulmane. À partir de 750 apr. J.-C., les Omeyyades sont écartés du pouvoir par la **dynastie abbasside**, qui transfère la capitale à Bagdad.

Le plus célèbre des rois abbassides fut très certainement le calife **Haroun al-Rashid**, présent dans de nombreux contes des *Mille et Une Nuits* même s'il ne figure pas dans le corpus choisi.

En 1258, la **prise de Bagdad** par les Mongols signe la chute du califat abbasside. Le XIIIe siècle voit se former un Empire ottoman qui s'étend bientôt sur l'Anatolie, les Balkans, la Syrie, la Palestine, la Mésopotamie, la péninsule arabique et l'Afrique du Nord à l'exception de l'actuel Maroc. Au cours du XIXᵉ siècle et au début du XXᵉ siècle, il est peu à peu démantelé et la Turquie prend les frontières que nous lui connaissons au lendemain de la Première Guerre mondiale.

Ce sont les relations politiques privilégiées entretenues entre la France et la Sublime Porte (autre désignation de l'Empire ottoman) depuis le XVIIᵉ siècle ainsi que le goût des élites françaises pour la culture orientale qui expliquent le succès des traductions des *Mille et Une Nuits* par Galland au XVIIIᵉ siècle.

ALI BABA ET
LES QUARANTE VOLEURS

Quel lecteur oserait aujourd'hui affirmer que l'histoire d'*Ali Baba et les quarante voleurs* n'appartient pas aux *Mille et Une Nuits* ? Et pourtant ce conte ne figure pas dans les éditions de Bûlâq et de Calcutta. Antoine Galland mentionne dans son Journal (1709) le résumé de ce récit emprunté à un autre corpus, qu'un prêtre syrien, Hanna, lui a raconté et qui portait le titre suivant : *Les Finesses de Morgiane ou les quarante voleurs exterminés par l'adresse d'une esclave.*

C'est en effet grâce à la ruse et à l'intelligence de sa fidèle servante qu'Ali Baba échappera au chef des voleurs venu se venger.

Autrefois, dans une ville de Perse vivaient deux frères, Cassim et Ali Baba. Leur père avant de mourir leur avait laissé de modestes biens. Cassim épousa la fille d'un riche marchand qui lui légua en héritage une des plus belles boutiques de la ville, tandis qu'Ali Baba se maria avec une femme aussi pauvre que lui. Pour nourrir sa famille, il coupait du bois dans une forêt voisine et le vendait au marché.

Un jour, alors qu'il chargeait sur ses trois ânes les fagots avant de se rendre au souk[1] pour les écouler, il aperçut un nuage de poussière qui se dirigeait vers lui. Se méfiant des voleurs qui rôdaient dans le pays, il grimpa à la cime d'un arbre et observa la scène sans être vu. Bientôt, quarante cavaliers mirent pied à terre. Ils attachèrent leur monture à l'arbre derrière lequel se dressait un rocher immense. Ali Baba retint son souffle. De sa cachette il pouvait suivre leur conversation. Ils paraissaient s'être donné rendez-vous là après leurs brigandages. Ils débridèrent les chevaux, leur passèrent un sac d'avoine autour du cou pour les nourrir. Enfin ils déchargèrent des paquets extrêmement lourds. Ali Baba comprit alors qu'il avait affaire à des malfaiteurs. Il s'enfonça davantage dans les feuillages des

---

1➡ Le marché.

branches, craignant d'être découvert. L'un des cavaliers qui s'était avancé près du rocher prononça très distinctement ces paroles : « Sésame, ouvre-toi. » Au grand étonnement d'Ali Baba, aussitôt une porte dissimulée pivota laissant les hommes pénétrer dans une caverne. Lorsque le dernier fut entré, elle se referma comme par magie. Tout redevint silencieux. Intrigué, Ali Baba resta perché un long moment. Un peu plus tard, un bruit sourd annonça l'ouverture de la paroi rocheuse par où les bandits ressortirent les mains vides. Le chef, qui fermait la marche, se retourna en ordonnant au rocher : « Sésame, referme-toi. » Puis, à la hâte, les cavaliers attachèrent les caisses vides et ils enfourchèrent leur monture avant de repartir comme ils étaient venus.

Très vite le groupe ne fut plus qu'un grain de poussière à l'horizon. Ali Baba dégringola du tronc. Il examina les lieux désirant retrouver l'entrée secrète. Comme le capitaine des brigands, il se campa face au rocher en répétant les paroles qu'il avait entendues, incertain de ce qui surviendrait. Un grincement assourdissant précéda l'ouverture du panneau rocheux d'où jaillit une lumière vive. Le haut de la caverne formait un puits de lumière qui éclairait ses parois tapissées de très hautes piles d'étoffes soyeuses et de tapis d'une valeur inestimable. Des jarres remplies d'or et de pierres précieuses s'empilaient les unes sur les autres. Des besaces de cuir alourdies par le poids de la monnaie qu'elles contenaient pendaient au plafond. Sans réfléchir davantage, Ali Baba s'introduisit dans l'antre. Il ramassa des sacs de jute qui traînaient sur le sol pour les remplir de ce qui se présentait à portée de main. Sa tâche achevée, il fit demi-tour, prononça les paroles magiques puis s'approcha de ses trois ânes pour les charger de ses lourds paquets qu'il couvrit avec des fagots de petit bois. L'homme, heureux mais craignant une mauvaise rencontre, se pressa de regagner la ville. Arrivé devant chez lui, il rentra discrètement les bêtes dans une petite cour. Là, il attendit la nuit pour décharger son trésor.

En découvrant le contenu des sacoches, son épouse s'inquiéta. Était-il possible que son mari les eût volées ? Mais ce dernier la rassura en lui contant son aventure. Il la supplia de garder le secret. Éblouie par tant de richesses, elle oublia ses craintes. Elle voulut en estimer la valeur ! Ali Baba essaya de l'en dissuader. Il était préférable de creuser un trou au milieu du salon pour y dissimuler au plus vite son trésor. Cependant, sa femme, très excitée à l'idée de voir sa vie transformée, insista. Elle irait chercher chez son beau-frère une mesure pour évaluer le volume d'un tel prodige. Voyant que rien ne l'arrêterait, Ali Baba céda mais lui recommanda de ne rien raconter.

De retour chez elle, elle entreprit de peser les sacs tandis que son mari creusait une fosse pour les y cacher. Constatant que le poids était considérable, elle sauta de joie. Elle laissa son époux enfouir leurs richesses. Elle rendit la jauge à la femme de Cassim, qui, intriguée par la demande insolite de sa belle-sœur avait pris soin d'enduire de suif le fond de l'instrument. Ainsi connaîtrait-elle la nature du grain qu'ils avaient soi-disant récolté en grande quantité. À peine l'épouse d'Ali Baba avait-elle tourné les talons qu'elle examina le fond de la jauge où, à sa grande surprise, elle trouva une pièce d'or! Folle de jalousie, elle s'interrogea. Comment son beau-frère s'était-il débrouillé pour devenir aussi riche au point de peser ce métal précieux ? Elle attendit avec impatience son mari à qui elle apprit la nouvelle. Très surpris, il lui réclama des explications. L'envieuse lui raconta l'étrange demande de sa belle-sœur et la ruse qu'elle avait imaginée puis, pour preuve, elle exhiba la pièce qu'elle avait découverte. Cassim, rongé par l'envie, ne ferma pas l'œil de la nuit. Dès l'aube, il se précipita chez son frère avec qui il n'entretenait plus aucune relation depuis son mariage et le questionna. Depuis quand avait-il, lui le misérable, les moyens de peser de l'or ? Ali Baba feignit de ne pas comprendre mais reconnut les faits lorsque Cassim lui présenta la pièce très ancienne qui s'était collée au fond de la mesure. Comme il le menaçait de le dénoncer à la justice s'il ne lui révélait pas les détails de cette affaire, Ali Baba le mit au courant en lui recommandant de garder le silence. Pressé de devancer son frère, Cassim rentra chez lui, prépara dix mulets, les chargea de coffres vides afin d'y entasser pour lui seul le trésor, et prit la direction du rocher. Lorsqu'il eut trouvé l'entrée de la caverne, il prononça les paroles magiques qui provoquèrent l'ouverture de la paroi rocheuse. Émerveillé devant tant de richesses, il n'entendit pas la porte se refermer. Il contempla un long moment l'ampleur du magot, en resta abasourdi puis, reprenant ses esprits, remplit les coffres. Son forfait accompli, il se présenta devant l'entrée, incapable de répéter la phrase complète. L'émotion lui avait fait perdre la mémoire. Il essaya tous les noms de graine pour retrouver le premier mot mais en vain. Pas le moindre mouvement. Plus son inquiétude augmentait moins la mémoire lui revenait.

À leur retour, les voleurs s'étonnèrent de la présence de mulets à cet endroit. Constatant que certains étaient chargés de caisses, ils tentèrent de s'emparer des bêtes qui s'enfuirent, Cassim ayant oublié de les attacher. Après avoir examiné les alentours, l'un des hommes qui espérait débusquer le propriétaire des ânes s'approcha de la paroi et ordonna que la porte s'ouvre. À l'intérieur de la grotte, Cassim, en entendant le bruit des chevaux, s'était tapi, prêt à bondir. Tout à coup, le seul mot « sésame », qu'il avait cherché désespérément, résonna à ses oreilles. Il se rua vers la sortie bousculant le capitaine des brigands. Mais les autres individus armés de sabre l'encerclèrent aussitôt et le décapitèrent sur-le-champ. Les bandits inspectèrent alors attentivement l'endroit : comment cet homme avait-il pu pénétrer dans cette caverne ? Par le haut ? La hauteur du rocher rendait inaccessible cette issue par laquelle la lumière s'engouffrait ! Ils rangèrent les sacs que Cassim avait entreposés près de la porte magique sans s'apercevoir qu'il manquait ceux qu'Ali Baba avait emportés. Le mystère de la présence de cet étranger ici resta entier. Les voleurs persuadés d'être les seuls à détenir le secret de l'ouverture de la porte, décidèrent de dissuader d'autres intrus en déposant sur le seuil, à l'intérieur de l'antre, le cadavre qu'ils avaient découpé en morceaux. Après avoir vérifié que toute empreinte avait été effacée, ils se mirent en route.

Au petit matin, la femme de Cassim, folle d'inquiétude, se rendit en cachette chez Ali Baba pour le supplier de partir à la recherche de son frère qui n'avait pas réapparu depuis la veille. En larmes, elle reconnut que sa curiosité et sa jalousie étaient à l'origine de son malheur. Mais son beau-frère tenta de la rassurer. Il lui conseilla d'attendre patiemment chez elle le retour de son mari qui avait très certainement de bonnes raisons de tarder. Avec ses trois ânes, Ali Baba s'enfonça dans la forêt. Les traces de sang qu'il aperçut en s'approchant du rocher l'inquiétèrent. Aucun mulet à l'horizon, aucun signe de présence humaine. Le silence enveloppait les lieux. Il s'avança, prononça les paroles magiques et fut horrifié par le spectacle qui s'offrait à lui. Même s'il n'aimait pas beaucoup son frère, il n'abandonnerait pas sa dépouille. Il chargea les quartiers du corps afin de l'enterrer dignement, sans oublier de remplir deux gibecières d'or. Il dissimula la charge des trois bêtes avec du petit bois comme la première fois, ordonna à la porte de se refermer et reprit le chemin de la maison. Il ne quitta la forêt qu'à la nuit tombée pour éviter d'être repéré. Arrivé chez lui, il fit entrer dans la cour les deux ânes chargés d'or. Il confia à son épouse le soin d'enfouir les paquets. Il lui raconta très vite la découverte macabre qu'il avait faite et se précipita sans tarder chez sa belle-sœur.

Ce fut une servante, Morgiane, qui ouvrit la porte. On disait qu'elle était rusée et habile. Ali Baba s'adressa directement à elle, l'informant qu'il aurait besoin de son soutien. En effet, il souleva les fagots et lui montra les sacoches contenant les parties du cadavre de son frère. Il lui révéla son secret. L'aiderait-elle à l'enterrer comme si de rien n'était ? Puis, accompagné de Morgiane, il se présenta devant l'épouse de Cassim. En voyant son beau-frère approcher, elle comprit qu'il était arrivé malheur à son mari. Avant de lui raconter les derniers événements, Ali Baba exigea qu'elle tienne sa langue, dans son intérêt. La femme réalisa, hélas, qu'elle était devenue veuve. Pour conserver ses richesses, elle accepta de ne rien dire. Selon les traditions, Ali Baba lui proposa d'unir leurs biens en l'épousant[1]. Il lui assura que sa compagne ne serait pas jalouse mais, auparavant, il leur fallait ensevelir son frère en simulant une mort naturelle. Il l'informa que pour les seconder il avait eu recours aux services de Morgiane. La veuve de Cassim sécha ses larmes et accepta la proposition de son beau-frère qui lui laissait entrevoir un avenir prospère. Non seulement, elle conservait ses propres biens, mais elle épouserait un homme très riche.

Ali Baba se retira alors que Morgiane courait chez l'apothicaire[2], acheter un remède dans l'espoir de sauver son maître qui, soi-disant, ne pouvait plus ni parler ni manger. Le jour suivant, elle se présenta à nouveau à la boutique, la mine affligée, demandant des essences spéciales pour soulager le malade qui agonisait. De leur côté,

---

1→ Selon la coutume et par solidarité familiale, la veuve se voit proposer un remariage avec un membre de la famille du défunt. L'islam exige le respect d'un délai de quatre mois et dix jours et reconnaît à la veuve un droit de refus.
2→ Le pharmacien.

Ali Baba et sa femme multipliaient les trajets entre les deux maisons. Les voisins, qui observaient leurs allées et venues, comprirent à leur mine lugubre qu'il se passait quelque chose de grave. Ainsi, le soir même, personne ne fut étonné par les plaintes de l'épouse de Cassim et de son esclave. Cassim n'était plus de ce monde! Le lendemain dans la matinée, Morgiane alla chez Baba Moustafa, le vieux savetier toujours joyeux. Premier à ouvrir son échoppe, il adorait plaisanter avec les clients. Ce matin-là, l'esclave lui tendit une pièce d'or en échange de laquelle elle le pria de l'accompagner, les yeux bandés, à un endroit qu'elle tenait à garder secret. Comme il se méfiait, elle lui proposa une deuxième pièce d'or. Il accepta donc de la suivre. Une fois arrivés, elle lui rendit la vue et lui ordonna de coudre les parties du corps qu'elle avait assemblées. Elle lui promit une troisième pièce d'or dès qu'il aurait fini. Puis elle le reconduisit après lui avoir à nouveau bandé les yeux en lui recommandant de se taire. Lorsqu'elle le vit s'éloigner, elle retourna chez son maître. Ali Baba avait déjà lavé et parfumé le mort avant de le placer dans le cercueil qu'il avait pris soin de commander. Morgiane se dirigea alors vers la mosquée. Quand elle revint en compagnie de l'imam[1], leurs amis chargèrent le cercueil sur leurs épaules. Le cortège s'ébranla vers le cimetière pendant que l'épouse de Cassim demeurait à l'intérieur de la maison, entourée de ses voisines. Les lamentations et les pleurs des femmes plongèrent le village dans la tristesse.

1→ L'imam dirige la prière. Dans une mosquée, il se tient dans une niche, le mihrab, orientée vers La Mecque.

Cassim fut enterré sans que personne sache ce qui lui était réellement arrivé. Peu de temps après les funérailles, Ali Baba s'installa chez la veuve. Il annonça publiquement leur mariage. Enfin, la boutique du défunt fut confiée au fils unique d'Ali Baba qui venait juste de terminer son apprentissage.

De retour dans la caverne, constatant la disparition du cadavre et la diminution considérable des richesses, les quarante voleurs réalisèrent qu'ils avaient été découverts. Furieux, ils firent le serment de se venger. L'un d'entre eux se porta volontaire pour accomplir cette mission. Il décida de s'installer au village. Là, il se déguisa dans l'espoir de récolter des informations qui leur permettraient d'arrêter le coupable. À l'aube, le brigand débarqua sur la place de la bourgade où seule l'échoppe de Baba Moustafa était ouverte. Sur le seuil, le savetier travaillait déjà. Le voleur s'approcha. Pour entamer la conversation, il sembla s'étonner de le voir exercer un tel métier à un âge où la vue faiblissait certainement chaque jour davantage. L'artisan releva fièrement la tête en se vantant d'avoir d'excellents yeux. Pour preuve, il lui raconta dans quelles conditions il avait récemment cousu un mort. Le malfaiteur dissimula la joie et la curiosité que lui procurait cette rencontre matinale. Il fit semblant de ne pas comprendre : l'homme voulait-il dire qu'il avait recousu un linceul ? Baba Moustafa, regrettant d'en avoir trop dit, se tut. Il se remit au travail. Mais le visiteur insista : il lui jura de garder le secret. Il lui tendit une pièce d'or. Tout ce qui l'intéressait, c'était de connaître la maison du défunt. Devant les réticences du vieillard qui se sentait incapable de retrouver un chemin effectué les yeux bandés, le malfaiteur doubla la mise. S'il le désirait, il referait avec lui le trajet. La tentation fut la plus forte, le vieux rangea ses deux pièces dans une bourse cachée sous sa chemise puis se leva pour fermer le magasin avant de partir […].

Enfin, Baba Moustafa s'arrêta devant la demeure de Cassim. Ali Baba, assis sur un banc, se reposait. Discrètement, le bandit traça une croix sur la porte avant de retirer le bandeau du savetier qui, étranger au quartier, ignorait tout du propriétaire. Après avoir remercié vivement son guide de la peine qu'il s'était donnée, l'individu mal intentionné l'accompagna un bout de chemin puis le salua avant de s'enfoncer dans la forêt, certain d'être bien accueilli par ses compagnons. C'est alors que Morgiane, en sortant de chez son maître, aperçut cette croix fraîchement dessinée sur leur porte. Elle ignorait la signification de ce signe mais soupçonna un acte malveillant. Aussi, avec une craie, sans avertir personne, elle marqua à l'identique les façades voisines.

Dans la forêt, le voleur de retour parmi les siens avait commencé le récit de son aventure. Satisfait, son chef attendit avec impatience la fin de l'histoire pour commander à ses hommes de se tenir prêts à intervenir. Ils se rendraient au village où ils entreraient en ordre dispersé pour ne pas éveiller les soupçons. Le point de ralliement serait la grande place. Quant à l'éclaireur, il était prié de le mener directement dans la ruelle où se situait le logis de Cassim. Une fois sur les lieux, les deux compères, très étonnés de trouver cinq maisons signalées par une croix blanche, ne purent distinguer celle qu'ils cherchaient. Furtivement, ils quittèrent l'endroit en direction de la place où les attendaient leurs camarades. Le soir même, dans leur repaire, le voleur reconnut que leur expédition avait été inutile. Fidèle au serment pris avant de s'engager, il se condamna lui-même à mort, se jugeant indigne de la mission qu'on lui avait confiée. À peine eut-il la tête tranchée, qu'un deuxième compagnon se porta volontaire pour mener à bien leur vengeance. Comme le premier, il débarqua chez le savetier, le persuada de lui montrer la propriété contre deux autres pièces d'or. Il dessina sur la porte un point rouge soigneusement dissimulé pour la reconnaître plus tard. Comme le jour précédent, Morgiane repéra le nouveau signe. Suivant le même raisonnement, elle reproduisit le même point rouge sur chaque porte sans en souffler mot. Et comme la première fois, les brigands se rendirent au village en se fixant rendez-vous sur la place. Puis, persuadé que cette fois-ci les précautions nécessaires avaient été prises, le chef souhaita repérer les lieux. Incapable de distinguer la demeure de Cassim, excédé, il avertit ses amis de l'échec de cette nouvelle tentative. Il regagna la forêt où le second volontaire malchanceux subit le sort du précédent. C'est alors que le chef, regrettant de perdre ses meilleurs cavaliers, décida de prendre seul l'affaire en main. Il se présenta chez Baba Moustafa qui, à nouveau, accepta de lui montrer l'endroit où vivait Cassim. Cette fois-ci, le malfaiteur examina avec beaucoup d'attention la maison, n'hésitant pas à passer plusieurs fois devant pour fixer dans sa mémoire le lieu plutôt que de graver une marque quelconque. Puis il rejoignit ses hommes, fier d'avoir enfin découvert le coupable qu'il voulait châtier. Il leur expliqua le plan qu'il avait échafaudé pour accomplir cette vengeance. Il leur conseilla de se disperser dans les villages voisins pour acheter dix-neuf mulets et trente-huit jarres de cuir dont l'une serait remplie d'huile.

Quelques jours plus tard, le chef des brigands se déguisa en marchand d'huile, il ordonna à ses hommes armés de se cacher dans les jarres qu'ils avaient rapportées. Une à une, il les ferma comme si elles étaient remplies puis les badigeonna avec un peu d'huile qu'il avait prélevée dans la trente-huitième. À la tombée de la nuit, le faux commerçant se présenta chez Cassim. Prétextant qu'il ne savait pas où dormir avec son chargement, il sollicita l'hospitalité d'Ali Baba qui était assis à la même place. Ce dernier ne reconnut pas la voix du voleur. Il appela un esclave pour qu'il abrite les bêtes. Quant à leur maître, il l'invita à souper. Comme on le lui avait réclamé, Morgiane aménagea une chambre pour accueillir cet étranger. Les deux compères, après avoir dîné, discutèrent jusqu'à une heure tardive. Ali Baba se retira en souhaitant bonne nuit à son hôte. En passant devant la cuisine, il pria Morgiane de lui préparer avec ses affaires un bouillon qu'il boirait à son retour du hammam[1]. Il désirait s'y rendre très tôt le lendemain. De son côté, l'imposteur avait imaginé un prétexte

---

[1] Bains maures correspondant aux thermes romains. Le hammam, bain à étuve, comporte plusieurs pièces chaudes consacrées aux soins du corps.

pour s'approcher de ses mulets qui se reposaient dans la cour. Il se pencha discrètement sur chaque récipient, semblant vérifier les contenus, mais il en profita pour murmurer ses ordres à ses compagnons. Une fois la maison née endormie, il jetterait des petites pierres pour qu'ils se tiennent prêts. À ce signal, chacun sortirait de sa cachette. Après avoir averti le trente-septième voleur, le chef des brigands rejoignit Morgiane qui le conduisit dans sa chambre où il fit mine de sombrer dans un sommeil profond. La servante, sans le moindre soupçon, retourna à ses occupations : elle plia le linge de son maître pendant que la soupe mijotait sur le feu. Hélas, l'huile de la lampe vint à manquer. Elle pria Abdallah, l'autre esclave de la maison, de la dépanner mais ce dernier voulant se coucher tôt pour accompagner Ali Baba, lui conseilla de se servir directement des provisions du marchand.

Son broc à la main, elle se dirigea vers la première jarre. Là, à son grand étonnement, une voix l'interrogea. Le moment était-il venu de sortir ? Elle ne fut pas impressionnée ; elle réfléchit très vite : son maître et les siens se trouvaient en danger ! D'une voix neutre, elle répondit fermement que l'instant était proche. Près de la deuxième jarre, à la même question, elle fit la même réponse. La scène se reproduisit trente-sept fois. Enfin dans la dernière, elle put remplir son broc d'huile avant de retourner à la cuisine. Là, après avoir rallumé la lampe, elle posa sur le feu un grand chaudron dans lequel elle avait versé suffisamment d'huile pour ébouillanter chaque voleur tapi au fond de sa jarre. Et c'est ainsi que tous ces bandits périrent brûlés.

Sa besogne accomplie, Morgiane, pleine de courage, resta éveillée dans l'obscurité. Plus tard, elle entendit le bruit des petits cailloux. Le chef des brigands, surpris du silence, répéta son geste deux, trois fois, sans succès. Il s'approcha du premier mulet et interrogea le premier voleur. Mais il comprit en respirant l'odeur d'huile brûlée qu'il avait échoué. Constatant dans le trente-huitième vase combien le niveau d'huile avait baissé, il prit ses jambes à son cou et disparut. Certaine que le brigand avait déguerpi, Morgiane, satisfaite, s'endormit.

De retour du hammam, Ali Baba s'étonna de ne pas trouver son hôte réveillé. Sa servante dévouée l'entraîna dans la cour pour lui dévoiler le contenu du chargement des bêtes. L'esclave, redoutant les réactions de son maître, lui recommanda de se contrôler afin de conserver le secret ! Personne dans le voisinage ne devait avoir le moindre soupçon. Cependant Ali Baba n'en croyait pas ses yeux. Morgiane en profita pour lui révéler alors que le marchand d'huile n'était pas plus marchand qu'eux. Elle le raccompagna dans sa chambre pour qu'il se repose. En lui servant son brouet[1] elle lui livra les détails de cette étrange histoire. [...]

À la fin du récit, Ali Baba remercia Morgiane de lui avoir sauvé la vie par trois fois. Pour lui prouver sa reconnaissance éternelle, il l'affranchit[2] sur-le-champ. Puis, il entreprit immédiatement d'enterrer dans la plus grande

---

1→ Potage.
2→ Il lui accorda la liberté.

discrétion les trente-sept voleurs. Avec l'aide de l'esclave Abdallah, ils creusèrent au fond du jardin une fosse, puis extirpèrent les cadavres calcinés pour les enfouir sous les arbres. Ali Baba chargea Abdallah de vendre un par un les mulets au marché tandis qu'il cachait chez lui les vases et les armes.

Plusieurs jours durant, le chef des voleurs, seul, se lamenta dans la grotte où il s'était réfugié après sa fuite. Il ne se consolait pas de la perte de ses compagnons si courageux, morts sans même avoir pu se défendre. Pourtant, il se leva un matin bien décidé à les venger. Il accomplirait en solitaire ce qu'ils n'avaient pas pu réaliser ensemble. Non seulement il protégerait son trésor mais il trouverait un héritier capable de s'en occuper. Il s'habilla de neuf, débarqua au village où il s'installa dans un khan[1]. Il prêta l'oreille aux rumeurs. Constatant que la mort des trente-sept hommes cachés dans les jarres était passée inaperçue, il en déduisit qu'Ali Baba avait sans doute de bonnes raisons de garder le silence. C'était là la preuve qu'il connaissait l'existence du trésor ! Le voleur se résolut à agir discrètement en prenant les précautions nécessaires pour retourner à la caverne afin d'en rapporter des tissus soyeux et des étoffes délicates. Après de nombreux allers-retours, il acheta une boutique pour y entreposer ces riches textiles. Sous le nom de Cogia Houssain, il s'installa juste en face du magasin de Cassim qui appartenait à présent au fils

---

1➛ Caravansérail (vaste enclos entouré de bâtiments où font halte les caravanes).

d'Ali Baba. Ignorant les liens de famille qui unissaient son voisin à l'homme qu'il recherchait, le faux marchand se lia d'amitié avec lui.

Un jour, lorsqu'il vit Ali Baba lui rendre visite, le chef des brigands, comprenant avec joie à qui il avait affaire, redoubla d'attentions. Le jeune homme, ne voulant pas paraître ingrat, demanda à son père de l'aide pour recevoir généreusement Cogia Houssain et lui manifester ainsi sa reconnaissance. Ils décidèrent de l'inviter le lendemain, vendredi, jour de la fermeture des commerces. Toutefois, pour éviter d'avoir à insister, il fallait s'arranger au cours de la promenade pour le conduire très naturellement devant chez eux.

Le lendemain, le fils d'Ali Baba entraîna sans l'informer son nouvel ami jusque devant chez lui où il s'arrêta net. Il le pria d'entrer. Bien que le brigand soit arrivé à son but, il s'excusa et fit mine de continuer son chemin. Mais la porte s'ouvrit à ce moment-là. Il fut accueilli chaleureusement par Ali Baba qui, sans le reconnaître, le remercia de s'occuper ainsi de son fils. Cogia Houssain lui rendit ses politesses, ne cessant de vanter les qualités du garçon, puis souhaita se retirer. Ne resterait-il pas dîner avec eux ? Le bandit refusa, prétextant qu'il ne mangeait pas de sel, mais son hôte courut à la cuisine pour commander à Morgiane un repas sans sel. La servante, intriguée, désira en apprendre davantage sur cet invité si difficile pour qui tant de précautions étaient nécessaires. Elle prépara des plats sans sel puis aida Abdallah à les apporter au salon. Là, elle identifia sous son déguisement le chef des quarante voleurs. Avec effroi, elle s'aperçut qu'il cachait sous sa chemise un poignard. Gardant son sang-froid, elle continua de servir tout en imaginant une ruse qui empêcherait cet individu d'assassiner son maître. À la fin du dîner, elle présenta les fruits en même temps qu'elle posa près d'Ali Baba un plateau sur lequel elle avait disposé trois coupes et une carafe de vin. Elle se retira dans la cuisine, laissant les deux convives apprécier la qualité des mets. Le faux marchand pensa le moment venu de se venger. Il crut pouvoir profiter de l'absence de Morgiane pour enivrer le père, le fils et planter son poignard dans le cœur d'Ali Baba avant de s'enfuir. Mais c'était compter sans la vigilance et l'intelligence de la fidèle servante. Ayant saisi les intentions du bandit, elle s'était déguisée en danseuse, portait une ceinture en argent où elle avait attaché un poignard dont le manche comme la gaine étaient travaillés dans le même métal. Un tambourin à la main, Abdallah la précéda dans le salon. Au grand étonnement du malfaiteur, il proposa à son maître de les divertir. Contrarié dans ses plans, Cogia Houssain ne put refuser une telle gentillesse. Il s'efforça de sourire davantage, attendant avec impatience une nouvelle occasion d'accomplir son odieux projet. Morgiane se lança dans une suite de danses effrénées, virevoltant, légère et gracieuse, au son de la musique. Pour la dernière danse, celle du sabre[1], elle usa de son poignard avec une dextérité qui laissa les spectateurs sans voix. Puis, saluant comme une

---

1► Arme blanche dont la lame effilée à la pointe plus ou moins recourbée est protégée par un fourreau.

professionnelle, elle sollicita la générosité de ses admirateurs en tendant vers eux, de sa main gauche, le tambourin qu'elle avait arraché à son compagnon, pendant que sa main droite qui tenait le poignard formait un arc de cercle au-dessus de sa tête. Personne n'eut le temps de réaliser que la figure gracieuse n'était qu'un prétexte. La servante s'approcha de Cogia Houssain et, avant qu'il ait eu le temps de sortir sa bourse, elle planta son arme dans son cœur, le tuant sur le coup. Ali Baba et son fils, horrifiés, se jetèrent sur Morgiane, l'accusant d'avoir assassiné leur hôte, mais elle les supplia d'ouvrir le vêtement de l'individu.

Ils découvrirent avec stupeur l'arme qu'il avait cachée. Ils relâchèrent aussitôt la jeune femme qui leur prouva que cet homme était bel et bien le chef des quarante voleurs, le faux marchand d'huile. Elle leur expliqua comment elle l'avait soupçonné de nourrir des projets criminels lorsqu'elle avait appris qu'il ne partagerait pas le sel avec eux. Pour la remercier de lui avoir sauvé la vie une nouvelle fois, Ali Baba lui proposa de devenir sa belle-fille. Son fils, loin d'être mécontent de ne pas avoir été consulté auparavant, avoua être comblé par ce projet auquel il consentait bien volontiers.

Les noces fastueuses furent célébrées dans la joie. Les voisins admirèrent la générosité de leur ami sans se douter qu'il devait la vie sauve à sa bru. Ils ne tarirent pas d'éloges au sujet de Morgiane. Pendant un an, ignorant le sort des deux bandits qui n'avaient pas péri sous ses yeux, Ali Baba évita de retourner à la grotte. Comme personne ne venait l'inquiéter, il décida, pourtant, de s'y rendre une nouvelle fois. Il attela ses mulets et se mit en route. Face à la paroi rocheuse, il prononça la formule : « Sésame, ouvre-toi. » En pénétrant à l'intérieur de la caverne, il constata sans surprise que tout était resté comme il l'avait laissé auparavant. Il remplit des caisses de pierres précieuses, rassembla quelques tapis de grande valeur et chargea toutes ces richesses sur ses bêtes. De retour chez lui, il convoqua son fils. Il était temps de lui confier ce secret. À condition de ne jamais rien en dire, ils seraient riches pour le reste de leurs jours. Le trésor désormais était le leur. Et c'est ainsi que la famille vécut heureuse profitant de cette fortune sans jamais dépenser trop.

ALADIN OU
LA LAMPE MERVEILLEUSE

Ce deuxième conte emblématique des *Mille et Une Nuits* est également mentionné dans le Journal d'Antoine Galland comme un récit autonome qui lui aurait été raconté oralement ou par écrit, à moins qu'il ne lui ait été transmis par un autre traducteur, français celui-là. Peu importe, le lecteur est subjugué par la magie de la lampe et les pouvoirs de ce djinn[1] capable d'exaucer les rêves les plus extravagants d'un fils de tailleur qui ne voulait pas travailler !

1→ Les djinns sont des êtres nés du feu, invisibles et vivant dans un monde parallèle à celui des hommes. Cependant, dans les légendes persanes, les djinns sont capables de se métamorphoser, d'apparaître et de disparaître.

Autrefois, dans la capitale d'un royaume de Chine, vivait une famille très pauvre. Hélas ! Mustafa le tailleur et sa femme avaient négligé l'éducation de leur fils Aladin qui, en grandissant, leur désobéissait chaque jour davantage. Vint le temps de lui apprendre un métier. Le père d'Aladin essaya de lui transmettre l'art de la couture mais le garçon, incapable de se concentrer sur son travail, trouvait tous les prétextes pour s'échapper de la boutique et rejoindre ses amis dans la rue. Aucun argument, aucune punition ne firent changer de comportement le mauvais garnement. Accablé de tristesse et de chagrin, le tailleur mourut en quelques mois emporté par une grave maladie. Sa veuve fut obligée de vendre l'échoppe pour nourrir son fainéant de fils.

Un oncle providentiel À quinze ans, Aladin ne faisait que jouer dans la rue toute la journée sans penser au lendemain. Un jour, un inconnu l'interpella : « N'es-tu pas le fils de mon frère Mustafa, le tailleur ? » Surpris, le jeune garçon acquiesça. Qui était cet étranger originaire d'Afrique qui larmoya en apprenant la mort du couturier et lui glissa quelques sous dans la poche ? Aladin courut annoncer à sa mère l'arrivée de son oncle. Mais, la veuve du tailleur, perplexe, expliqua à son fils que son pauvre mari n'avait plus de famille depuis que son seul frère avait disparu des années auparavant. Aladin insista. Pourquoi cet homme, très généreux, l'aurait-il chargé d'avertir sa mère qu'il viendrait lui présenter ses condoléances ?

Le lendemain matin, l'individu aborda à nouveau Aladin qui jouait dans la rue avec ses camarades. Lui offrant deux nouvelles pièces d'or, il le pria de lui indiquer comment se rendre chez lui pour dîner. Une fois de plus, le jeune garçon, très étonné, courut vers la maison, remit l'argent à sa mère qui le dépensa aussitôt pour recevoir son hôte. La journée consacrée à la préparation du souper se terminait lorsqu'on frappa à la porte.

L'homme se tenait sur le seuil, les bras chargés de provisions. Après avoir salué la veuve, il s'enquit de la place que le tailleur avait coutume d'occuper au salon. Il s'assit juste en face, essuya ses larmes et souhaita qu'on lui raconte les derniers moments du défunt. Quelques instants plus tard, d'une voix très émue, il reprit la parole. Il était temps de leur expliquer les raisons de son propre éloignement. Il avait quitté ce pays quarante ans auparavant et n'avait cessé de voyager à travers les Indes, la Perse, l'Arabie, la Syrie et l'Égypte. Depuis plusieurs années, il vivait en Afrique. Mais se voyant vieillir, il avait éprouvé le désir de revoir les siens avant qu'il ne soit trop tard. Hélas, il n'avait pas eu la chance d'arriver à temps pour embrasser une dernière fois son seul frère ! Son unique consolation avait été de retrouver Aladin. Comme cet enfant ressemblait à son père!

Attendrie par le souvenir de son époux, la veuve du pauvre homme s'épancha. Elle se faisait du souci pour son enfant qui n'avait aucune formation. Ce paresseux n'aimait pas travailler! Aladin, tête baissée, silencieux, n'en crut pas ses oreilles lorsqu'il entendit cet étranger lui faire des propositions incroyables! Le fils du tailleur n'avait aucun penchant pour le travail manuel? Qu'à cela ne tienne, il existait d'autres métiers! Et s'il devenait marchand d'étoffes? Aladin n'en revenait pas! Il accepta avec joie la proposition de son oncle. Leur hôte lui donna rendez-vous le lendemain pour l'habiller richement afin qu'il occupe désormais cette fonction honorable qui semblait lui convenir. Tant de bonté et de générosité envers son fils rassurèrent la mère d'Aladin, la persuadant du lien qui unissait cet homme à la famille de son mari défunt. On se sépara très tard dans la nuit après une soirée fort agréable.

Aux premières heures de la journée, l'étranger accompagna son prétendu neveu dans une échoppe où l'on vendait de très beaux habits. Sans discuter les prix, il acheta le costume convoité par Aladin qui n'en revenait toujours pas! Puis, l'homme l'accompagna dans les lieux les plus réputés de la ville pour le présenter aux notables. Lorsque le soleil déclina, l'hypocrite invita son protégé à dîner au khan[1]. À la fin de cette belle soirée, il insista pour raccompagner Aladin chez lui. La veuve du tailleur s'émerveilla de

---

1▸ Voir *Ali Baba et les quarante voleurs*, note 1, p. 33.

voir son garçon ainsi transformé. Comment allait-elle pouvoir remercier son généreux beau-frère ? L'oncle promit de revenir dès le lendemain, vendredi jour de congé. En attendant samedi afin d'acquérir la boutique promise à Aladin, il proposa de l'emmener en dehors de la cité vers des jardins fréquentés par du beau monde. Pour devenir un homme digne de sa condition, il fallait que son neveu connaisse les divertissements de la bonne société !

Une drôle de promenade

Aladin, impatient, était déjà prêt sur le seuil de la porte, lorsque son prétendu parent se présenta au début de la matinée. Ensemble ils visitèrent des palais et des jardins tous plus merveilleux les uns que les autres. L'étranger, qui n'était autre qu'un magicien africain, entraîna Aladin loin de la ville sans que ce dernier s'en aperçoive. Prétextant la fatigue, l'individu, qui poursuivait son projet malhonnête, proposa au jeune homme de se reposer près d'une fontaine. Une eau limpide jaillissait de la gueule d'un lion majestueux sculpté dans le bronze. Assis sur le bord, le sorcier africain proposa à Aladin de partager gâteaux et fruits tout en tirant de sa ceinture un chiffon qu'il étendit en guise de nappe. Le jeune homme écoutait les conseils prodigués par l'adulte qui obligea son neveu à reprendre leur promenade, après le déjeuner. Aladin, fatigué, constata qu'ils se trouvaient fort loin de son quartier. Il avertit son compagnon, craignant de ne pas avoir le courage d'y retourner. Mais le magicien, pour l'entraîner là où il voulait, redoubla d'imagination, lui racontant des histoires fabuleuses. Il allait lui faire découvrir des merveilles !

Prisonnier ! Après de longues heures de marche, il s'arrêta et informa le jeune garçon qu'ils étaient enfin arrivés. Il voulait lui montrer des choses extraordinaires que personne n'avait encore jamais vues. Bientôt Aladin lui serait reconnaissant ! En attendant, il lui imposa de ramasser du petit bois. Une fois le feu allumé, le fourbe, en marmonnant, jeta un parfum qui épaissit la fumée. La terre trembla et s'ouvrit à cet endroit, laissant apparaître une énorme pierre avec un anneau en son milieu. Aladin, effrayé, envisageait de s'enfuir, mais l'homme, violent, le frappa si fort que le jeune garçon ne put retenir ses larmes. Son bourreau lui ordonna de lui faire confiance. Il ne souhaitait que son bien ! Au lieu de penser à s'en aller, ne valait-il mieux pas se demander comment faire pour soulever cette dalle ? Aladin avait, lui seul, le droit de toucher ce rocher qui cachait un trésor. D'ailleurs, il lui était destiné. À ces mots, Aladin, effaré, se releva, retint ses sanglots et promit d'obéir pour obtenir ce qui devait le rendre heureux à jamais.

Le magicien africain se calma lorsqu'il vit le fils du tailleur revenu à la raison. Il lui tendit un anneau qu'il lui ordonna de porter. Maintenant, il suffisait de prononcer le nom de son père et de son grand-père pour déplacer cette plaque qui lui semblait si lourde. Aladin exécuta les ordres et, sans difficulté, il réussit à la bouger puis s'engagea dans le caveau et descendit les escaliers. Devant lui, s'ouvrait une grande porte. Il traversa sans s'arrêter trois grandes salles encombrées par des vases remplis d'or et d'argent. Il se garda bien de manipuler quoi que ce soit, serrant contre lui ses vêtements de peur de frôler les murs. Les menaces de son faux oncle résonnaient encore en lui, il n'avait pas envie de mourir! Il continua de marcher le long d'un jardin planté d'arbres fruitiers et atteignit un autre escalier qui menait vers une terrasse.

Là, il découvrit dans une niche la lampe allumée que son tuteur supposé lui avait demandé de lui rapporter. Le fils du tailleur l'éteignit, puis la cacha sous sa chemise après qu'elle eut refroidi. Heureux à la pensée d'être riche, à en croire les promesses de l'homme, il rebroussa chemin. De superbes fruits sur des arbres multicolores attirèrent son attention. Ignorant leur valeur, il en remplit ses poches, sa ceinture et poursuivit sa route chargé, sans le savoir, de richesses. Avec les mêmes précautions qu'à l'aller, il atteignit l'entrée du caveau où l'imposteur l'attendait avec impatience. Lorsqu'Aladin le pria de l'aider à remonter à la surface de la terre, le sombre individu insista pour qu'il lui donne d'abord la lampe. Mais Aladin refusa. L'entêtement du jeune garçon fit perdre patience au sorcier. Fou de rage, il jeta quelques gouttes de parfum dans le feu qu'il n'avait pas éteint. La dalle retrouva sa place dès qu'il eut prononcé les paroles magiques. Le silence retomba.

Des événements bien mystérieux Le plan du magicien avait donc échoué ! Tous ces efforts pour impressionner Aladin, afin qu'il réalise ses volontés !
Réduits à néant ! Lorsqu'il avait été initié à la sorcellerie, il avait appris qu'il existait quelque part en Chine une lampe merveilleuse. Elle aurait dû faire de lui le seigneur le plus riche et le plus puissant de la Terre, à condition qu'un autre la lui remette en main propre. Il avait choisi Aladin pour être celui-là sans prévoir que le garçon se rebifferait. L'Africain, pressé de regagner son pays sans être vu ou reconnu, avait, dans sa précipitation, oublié de reprendre l'anneau magique passé au doigt d'Aladin. […]

Pendant deux jours et deux nuits, le jeune homme demeura enfermé. Désespéré, affamé et assoiffé, il s'en remit à Dieu et pria. Tout à coup, surgi de nulle part, un génie[1], énorme, se planta devant lui. Tandis qu'il se déployait dans le caveau occupant bientôt l'espace, il lui demanda :

– Que puis-je pour toi ? Je suis ton esclave et l'esclave de ceux qui ont l'anneau au doigt.

– Sors-moi d'ici, répondit sans réfléchir Aladin.

À l'instant même, il fut aveuglé par la lumière du jour ! Étourdi, il constata qu'il se trouvait à l'endroit exact où il avait quitté cet homme qui prétendait être son oncle. Reprenant ses esprits, il décida de rentrer chez lui. Il n'avait toujours pas d'explication à ces événements mystérieux,

---

1→ Ici, le génie, selon la tradition persane, se métamorphose pour apparaître et obéir aux ordres de celui qui possède la lampe merveilleuse.

lorsque sa pauvre mère ouvrit la porte. Bouleversée, elle serra dans ses bras ce fils qu'elle avait cru disparu. Elle lui interdit de dire un mot avant d'avoir repris des forces. Pour une fois, le fils du tailleur suivit les recommandations maternelles. Il mangea à sa faim et consacra sa journée au repos. Lorsqu'il se sentit mieux, il ne put s'empêcher de reprocher à sa mère sa trop grande naïveté. Comment avait-elle pu le laisser aller en compagnie d'un individu qu'ils ne connaissaient ni l'un ni l'autre ? Certes, ils avaient tous deux été trompés par les démonstrations de gentillesse d'un homme qui s'était présenté comme son oncle. Mais pourquoi avaient-ils fait confiance à cet odieux personnage ? Ils auraient dû se méfier de ses belles paroles ! Au lieu de cela, Aladin l'avait suivi, satisfaisant les volontés du fourbe. Pour récompense il avait été roué de coups ! En ce moment même, ce traître qui le croyait mort avait pris la fuite.

La lampe magique   Son récit achevé, Aladin sortit de sa chemise la lampe merveilleuse et les divers fruits qu'il avait ramassés. Comme son fils, la vieille femme qui ignorait ce que pouvaient être des pierres précieuses regarda ces richesses avec indifférence. L'état de santé d'Aladin l'inquiétait davantage. Comme elle était en colère contre ces magiciens ! De véritables pestes publiques ! Ils allèrent se coucher.

Après une longue nuit réparatrice, le jeune garçon commanda à sa mère un bon déjeuner. Il avait très faim ! Désolée, elle dut lui avouer qu'il ne restait plus rien à la maison, il avait tout mangé la veille. Elle s'apprêtait justement à se rendre en ville pour vendre quelques fils de coton afin de se procurer de quoi lui préparer un dîner. Aladin lui proposa plutôt de céder la lampe magique. Elle pouvait bien leur rapporter de quoi se nourrir pour au moins deux repas.

La vieille femme voulut l'astiquer pour en tirer le meilleur prix. Au premier frottement, un énorme génie effrayant surgit de la lampe et lui demanda ce qu'il pouvait faire pour lui obéir. La pauvre femme tomba évanouie sur le sol. Aladin se précipita. Sans perdre son sang-froid, il ordonna sur-le-champ qu'on lui apporte à manger. Quand sa mère revint à elle, le génie avait disparu après avoir installé un banquet somptueux composé d'une douzaine de couverts en argent. La mère et le fils s'approchèrent de la table, ne résistant pas plus longtemps aux odeurs délicieuses. Ils remarquèrent que chaque mets était accompagné de six pains, deux bouteilles et deux coupes. La veuve du tailleur interrogea Aladin sur tant de luxe mais ce dernier avait déjà commencé à se régaler sans s'interroger davantage.

Ils restèrent à table jusqu'au dîner. Une fois rassasiés, la pauvre femme prévoyante réserva de quoi faire au moins deux autres repas. Le jeune garçon, ébahi comme sa mère, lui raconta comment le second génie avait surgi alors qu'il tentait de la réanimer. Si le premier s'était présenté comme esclave de l'anneau, le second, qui ne ressemblait en rien à celui du caveau, avait déclaré être au service de la lampe. Horrifiée, la vieille voulut se débarrasser de cet objet maléfique ! On ne commerçait pas avec ces démons ! Mais Aladin s'y opposa. Pourquoi se conduire de la sorte ? Le magicien africain, lui, n'avait pas hésité à entreprendre un très long voyage pour s'emparer de cette lampe ! Eux n'avaient rien demandé mais ils allaient en profiter ! Pour ne pas attirer la convoitise des voisins, ils agiraient raisonnablement. Quant à l'anneau, Aladin continuerait de le porter au doigt car, sans lui, il ne serait plus en vie ! Ne voulant plus avoir affaire à ces génies, la vieille dame bougonna qu'elle n'en parlerait plus jamais.

Soudaine richesse Comme les provisions s'épuisaient, Aladin décida de vendre un des couverts en argent. Il s'adressa à un brocanteur qui, rusé, faisant mine d'ignorer la valeur de l'objet, demanda au jeune garçon de fixer un prix. Aladin, gêné, le laissa libre d'annoncer une somme. L'homme, malin, lui proposa une pièce d'or qu'Aladin s'empressa d'accepter, sans savoir qu'elle couvrait à peine la soixante-deuxième partie de la vraie valeur de l'objet. Aladin se retira précipitamment, fit des courses sur le chemin du retour et donna le reste de la somme à sa mère. Chaque fois que les provisions venaient à manquer à la maison, il se rendait chez le bijoutier et lui vendait pour le même prix un plat. Quand Aladin eut dépensé la douzième pièce d'or, il convoqua le marchand juif chez lui pour évaluer le prix du bassin qui avait servi au génie à transporter le banquet. Le commerçant, constatant que l'objet précieux pesait dix fois plus lourd que les plats, lui proposa dix pièces d'or. Aladin s'en contenta.

Quelques semaines plus tard, les vivres manquèrent à nouveau. La mère d'Aladin, comprenant que son fils se servirait encore de la lampe, trouva un prétexte pour sortir de la maison afin de ne pas croiser le génie. La même scène se reproduisit, le même génie s'adressa plus courtoisement à Aladin qui lui fit la même demande que la première fois. Aussitôt, une douzaine de plats disposés dans un bassin d'argent ornèrent un magnifique banquet. En rentrant, la vieille femme n'en crut pas ses yeux. Deux jours après, comme la fois précédente, Aladin décida de vendre un des plats en argent au commerçant juif.

Mais, en chemin, il fut accosté par un vieil homme respectable. C'était un orfèvre qui l'avait vu douze fois chez ce marchand. L'honnête homme lui conseilla de se méfier de cet escroc et l'entraîna dans sa boutique. Là, après avoir pesé le plat qu'Aladin tenait sous le bras, il lui proposa soixante-douze pièces d'or pour l'acquérir. Aladin, fou de joie et de reconnaissance, accepta la somme. Désormais, il irait chez ce commerçant. La veuve du tailleur et son fils demeurèrent cependant modestes. Pendant des années, en se servant de temps en temps de la lampe, ils purent vivre dignement sans changer leurs habitudes. Au cours de cette période, Aladin, au contact régulier de riches marchands et de joailliers, apprit l'inestimable prix des fruits dont il avait rempli ses poches dans le caveau. Loin d'être en verre coloré, ils étaient sculptés dans des pierres précieuses. Il ne parla à personne de sa découverte.

Un amour insensé   Un jour, en se promenant en ville, Aladin s'arrêta pour écouter le crieur public qui diffusait à la ronde les ordres du sultan[1].
Boutiques et maisons devaient fermer leurs portes sur le passage de la princesse Badroulboudour pendant qu'elle se rendait au bain. Cette annonce aiguisa la curiosité d'Aladin.

Comment faire pour apercevoir la princesse ? Se tenir derrière des volets ? Cela ne servirait à rien puisque le visage de la jeune fille serait recouvert d'un voile selon la coutume. Il décida donc de se cacher derrière la porte du hammam. Là il ne pourrait pas la manquer. L'attente ne fut pas longue. À travers une fente, il vit venir face à lui la princesse entourée de ses servantes. À trois ou quatre pas de lui, elle se découvrit sans se douter de la présence du jeune homme qui, très ému, la contemplait. C'était la première fois qu'il ressentait un tel trouble ! Aladin n'avait jamais vu d'autres femmes dévoilées que sa mère. La beauté parfaite de la demoiselle brune aux yeux vifs et brillants l'éblouit. Bouleversé, il rentra chez lui. Sa mère s'inquiéta de le voir refuser de manger. Que lui était-il arrivé ? Silencieux, il se coucha tôt. Le lendemain matin, il accepta de se confier à sa mère en lui racontant les événements de la veille. La vue de la princesse avait provoqué en lui des sentiments si violents qu'il ne pouvait les exprimer. Leur intensité augmentait avec le temps qui passait. Il s'apprêtait à demander celle-ci en mariage.

1▸ Mot d'origine arabe qui signifie « roi » ou « souverain ».

La veuve du tailleur se moqua de son fils. Aladin avait-il perdu la raison ? Mais, lui, insistait. Il savait qu'elle réagirait de la sorte, pourtant sa décision était prise : il la priait d'être son intermédiaire. Entendant ces paroles, elle se mit en colère :

– Mais comment peux-tu, toi, fils d'un misérable tailleur, avoir tant d'audace ? lui reprocha-t-elle. As-tu oublié que les sultans n'accordent leur fille qu'à d'autres sultans ?

– Je sais, acquiesça-t-il, mais je ne changerai pas. Veux-tu me voir mourir de chagrin ? Ou acceptes-tu de te dévouer pour ton enfant ?

– Je suis prête à faire beaucoup de choses pour toi, affirma-t-elle. S'il s'agissait de la fille d'un voisin, j'irais volontiers et j'aurais à cœur de réaliser ce projet même si, pour réussir, il me fallait les convaincre que tu es un homme de bien et d'honneur. Comment oses-tu faire une demande aussi disproportionnée à ton sultan ? As-tu réfléchi à la manière dont je pourrais l'approcher ? Ne crois-tu pas que ses serviteurs me chasseront en me considérant comme une pauvre folle ? Qu'inventer pour vanter tes mérites ? Quelles prouesses as-tu accomplies que je puisse raconter ? Qu'as-tu fait pour ton prince ? Enfin, quels cadeaux oserais-je offrir au sultan pour qu'il m'accorde le simple droit d'être écoutée ? Non, vraiment, mon fils, sois raisonnable et renonce à ce projet extravagant.

Aladin demeura un long moment pensif avant de reprendre la parole :

– Tu as certainement raison ! Mais, jamais, je n'ai aimé

de la sorte. Comment veux-tu que j'abandonne mon projet ? Merci de me rappeler l'essentiel ! As-tu oublié ces fruits que tu crois être en verre coloré, ceux que j'ai rapportés en même temps que la lampe ? J'ai découvert, depuis peu, qu'il s'agissait de pierres précieuses. Ce cadeau te suffit-il pour obtenir une audience auprès du monarque ? Donne-moi un plat assez grand pour les contenir.

Les pierreries disposées selon leurs formes et leurs couleurs dans la vaisselle de porcelaine brillaient de mille feux. Aladin insista :

– Alors, mère, est-ce assez beau et assez riche ?

La bonne femme acquiesça sans un mot mais bien vite reprit ses esprits. Elle le supplia de la dispenser d'une telle démarche. Certes, de telles richesses amadoueraient le sultan. Mais même si ce dernier acceptait de l'écouter, elle serait bien incapable de s'exprimer devant Sa Majesté. Elle risquait de perdre son temps et n'avait pas envie de gaspiller un présent d'une telle valeur. Mais surtout, elle ne voulait pas voir son enfant dépité en apprenant que son projet avait échoué. Même si elle essayait de se faire violence, même si elle tentait de dépasser sa timidité pour oser transmettre la demande en mariage, le roi se mettrait en colère, la considérerait comme une vieille folle et la renverrait.

Toute la journée, Aladin tenta tour à tour de l'attendrir ou de lui faire peur, jurant que si elle ne faisait rien, il en mourrait. La pauvre essaya tantôt de le raisonner, tantôt de le sermonner. Enfin, à court d'arguments, elle lui demanda quelle éventuelle réponse elle aurait à donner au cas où le sultan voudrait en apprendre davantage à propos de leurs biens. Son fils l'interrompit : ils avaient le temps d'y réfléchir. D'abord, elle verrait selon l'accueil et la réaction du roi à sa demande. Si par la suite il exigeait plus d'informations, Aladin aviserait. Il comptait sur cette lampe qui les avait aidés pendant toutes ces années : elle pourrait encore les sauver.

Dès l'aube, après un repos bien mérité, Aladin, impatient, réveilla sa mère qui avait fini par céder, à court d'arguments. Le jeune homme amoureux voulait qu'elle se présente le plus tôt possible à la porte du palais.

Une demande en mariage extravagante La veuve du tailleur, chargée du plat en porcelaine soigneusement enveloppé, pénétra dans le palais en même temps que ceux qui avaient affaire au diwan[1] ce jour-là. Elle assista aux plaidoiries et aux jugements. Lorsqu'elle comprit que le sultan, qui s'était retiré une fois la séance achevée, ne réapparaîtrait plus, elle décida de rentrer chez elle. Aladin ne lui posa aucune question. Elle se mit à lui raconter ce qu'elle avait vu pour la première fois, et lui glissa qu'elle n'avait pas voulu déranger le sultan très occupé. Il l'avait vue, car elle s'était mise en face de lui, c'était l'essentiel ! Elle y retournerait le lendemain ! Ce qu'elle fit mais elle trouva porte close car le Conseil ne se tenait qu'un jour sur deux. Six fois, elle y retourna, et six

---

1► Conseil administratif chargé de la justice.

fois elle revint à la maison portant sous son bras le compo-
tier rempli de pierres précieuses. Son fils, très patient, ne
lui posait aucune question.

Entre-temps, le sultan avait remarqué la présence assi-
due et silencieuse de la mère d'Aladin aux assemblées du
Conseil royal. Intrigué par cette constance, ce jour-là, le
souverain ordonna qu'on étudie en priorité l'affaire de
cette femme. Un huissier la pria de s'avancer. Prosternée, le
front contre les marches du trône, comme ceux qui
l'avaient précédée, elle attendit que le monarque la prie de
se relever et lui ordonne d'exposer son cas. Elle s'agenouilla une seconde fois. Comment oserait-elle exprimer
une requête si extraordinaire ? Le roi insista. La vieille
obéit. S'entourant de mille précautions pour prévenir les
réactions du sultan, elle lui raconta les circonstances qui
avaient poussé son fils à élaborer un projet aussi fou. Loin
d'approuver son attitude, elle n'était là que pour éviter le
pire dont la menaçait Aladin. À sa grande surprise, le
monarque, au lieu de manifester quelque signe d'impatience ou de colère, l'invita à lui montrer le paquet qu'elle
tenait sous le bras.

En soulevant le tissu qui recouvrait le plat et les pierres
précieuses, le roi, ébloui par tant de merveilles, prit le
temps de les admirer. Il les tint longuement dans la main et
finit par interroger son vizir[1] : comment refuser une telle
demande en mariage ? Tant de richesses convenaient au
rang de sa fille. Son ministre, qui cachait ses propres ambi-

---

[1] Voir l'encadré « Le palais », p. 57.

Le palais

Le *palais* est une véritable cité où résident le calife, ses proches et ses serviteurs. Ce lieu est aussi le siège du gouvernement, de l'administration et de l'armée.
Le *calife* (nom qui à l'origine signifie « successeur du prophète ») réunit les pouvoirs temporel et spirituel. Tout musulman lui doit obéissance. Son autorité s'étend sur un califat. Il est entouré de plusieurs ministres appelés vizirs (nom d'origine perse). Ces fonctionnaires de haut rang sont chargés de coordonner les différents services de l'administration nommés *diwan* (Conseils du trésor, de l'armée, de l'impôt, de la poste, de l'administration et de la justice).

tions pour son fils, fit la moue. Il se pencha vers son souverain pour le supplier de lui accorder un délai de trois mois qui lui permettrait d'offrir à son tour un présent encore plus somptueux au moment où il demanderait la main de la princesse. N'avait-elle pas eu déjà l'occasion de montrer l'intérêt qu'elle portait au jeune homme ? Le souverain, désireux de ne pas froisser son conseiller, se tourna vers la mère d'Aladin : elle pouvait avertir son fils qu'il acceptait la proposition, cependant il fallait respecter un délai de trois mois pour préparer le trousseau.

Lorsqu'il entendit sa mère rentrer plus tôt, qu'il la vit retirer précipitamment son voile, Aladin sut qu'il s'était passé quelque chose. La veuve du tailleur, bouleversée par ses dernières émotions, était incapable de répondre aux interrogations de son fils. Elle s'affala sur le sofa, épuisée. Le récit de son entrevue réjouit le jeune homme. La décision du roi, qui, d'après elle, n'était pas étrangère à l'effet produit par leur magnifique présent, le combla de joie. Il serait toujours reconnaissant à sa mère d'avoir conclu cette affaire. Certes, attendre trois mois lui demandait beaucoup de patience!

Le génie de la lampe au service d'Aladin

Deux mois s'étaient déjà écoulés lorsque la mère d'Aladin vint à manquer d'huile. Elle sortit pour s'en procurer. En ville, elle fut très étonnée de constater qu'une fête se préparait. Curieuse, elle interrogea les gens autour d'elle et fut très surprise d'apprendre qu'on s'apprêtait à fêter l'union de la princesse Badroulboudour avec le fils du grand vizir. Elle retourna immédiatement chez elle avertir Aladin, mais son fils la rassura. À la manière dont il suggéra que la nuit de noces ne rendrait peut-être pas ce prince aussi heureux qu'il l'espérait, la veuve du tailleur comprit qu'Aladin envisageait de se servir de la lampe. Pendant qu'il s'enfermait dans sa chambre, elle se retira pour préparer à dîner.

Aladin frotta la lampe merveilleuse au même endroit que les autres fois et le génie apparut dans les mêmes conditions. Le fils du tailleur s'empressa de lui raconter ce qui lui arrivait. Pouvait-il transporter le lit des jeunes mariés chez lui, le soir même? Le djinn disparut. Quelques instants plus tard, Aladin soupait avec sa mère comme si de rien n'était. Lorsqu'elle se coucha, il attendit patiemment le retour du génie.

Pendant ce temps, au palais, les festivités du mariage s'achevaient. Le jeune marié regagna ses appartements et fut le premier à se glisser dans le lit nuptial. On lui amena sa jeune épouse, effrayée à l'idée de partager sa couche. Dès que la porte fut fermée, le génie, pressé d'exécuter l'ordre de son maître, se précipita pour enlever le lit nuptial afin de le déposer chez Aladin. Celui-ci, avant d'autoriser le génie à se retirer jusqu'à l'aube, le somma d'enfermer le fils du vizir dans un placard pour la nuit. Enfin Aladin put s'approcher de la fille du sultan pour la rassurer. Elle n'avait rien à craindre, il ne lui ferait aucun mal. La considération qu'il éprouvait pour sa personne était plus forte que la passion qui l'enflammait. Si la promesse du monarque n'avait pas été bafouée, il n'aurait pas été obligé d'en arriver là! C'est pour la protéger de son rival qu'il avait agi de la sorte.

La frayeur de la princesse qui se lisait sur son visage augmenta lorsqu'elle vit Aladin se déshabiller. Le jeune homme, par respect, plaça entre eux son épée[1]. Elle ne fut pas rassurée pour autant! Cette nuit-là, seul Aladin, satisfait, dormit d'un sommeil profond, et réparateur. Au lever du jour, il ordonna au génie de délivrer le fils du grand vizir, de le remettre à sa place dans le lit et de transporter le couple jusqu'au palais sans être vu. À peine le lit retrouva-t-il sa place que le sultan pénétra dans la chambre pour saluer sa fille au lendemain de sa nuit de noces. Transi du froid de la nuit passée dans un placard, le marié avait disparu. Inquiet de trouver sa fille seule et mélancolique, le père la pressa de questions. Sans succès. Il quitta la

---

1► De même, dans *Tristan et Yseut*, une épée sépare chastement les deux amants lors de la première nuit qu'ils passent ensemble.

chambre et se dirigea vers les appartements de sa femme pour l'avertir et lui demander conseil. Elle le renvoya. Décidément, l'homme ne pouvait rien comprendre à la pudeur féminine ! La reine fut accueillie par la jeune mariée tout aussi froidement. Elle insista cependant pour que sa fille lui fasse des confidences. La princesse ne put retenir ses larmes. En l'écoutant lui raconter ses mésaventures, la sultane, sans le lui dire, pensa que trop d'émotions lui avaient fait perdre la raison. Elle lui conseilla de se reposer avant de se préparer pour la suite des festivités qui la divertiraient. Elle la laissa en compagnie de ses servantes, rassura son époux et convoqua le jeune prince pour le questionner. Or, le fils du vizir, trop content de cette nouvelle alliance, se garda bien d'évoquer l'étrange épisode nocturne. Les fêtes durèrent jusque tard dans la nuit.

Lorsque sonna l'heure du repos, Aladin, comme la veille, prit la lampe, la frotta et fit la même demande au génie. Aussitôt dit, aussitôt fait : les événements se déroulèrent comme au premier soir. Le fils du vizir passa la nuit dans un placard, et son épouse se vit obligée de partager son lit avec cet inconnu qui, par respect, déposa son épée entre eux. Le lendemain matin, dès l'aube, le génie remit tout en place. À peine avait-il disparu que le sultan pénétrait dans la chambre de la princesse. La voyant encore plus accablée que la veille, il tenta de la faire parler. Il se heurta à un silence entêté, se mit en colère et menaça de la décapiter si elle ne lui obéissait pas. Effrayée, la jeune fille en larmes le supplia de lui pardonner. Lorsqu'elle lui raconta ses deux premières nuits de noces, le père, attendri, essaya vainement de la consoler. Elle pouvait lui accorder sa confiance. Il ne désirait que son bonheur. Il la protégerait afin que les prochaines nuits ne ressemblent pas au cauchemar qu'elle venait de vivre.

Rentré dans ses appartements, le sultan convoqua son vizir pour l'informer de la situation. Le conseiller s'empressa d'interroger son fils. Le jeune marié, obligé de se confier, confirma les propos de la princesse et avoua à son père avoir vécu, malgré son amour pour elle, les nuits les plus cruelles de son existence. Bien qu'il soit conscient de l'importance et de l'honneur que lui conférait leur union, il le suppliait d'annuler ce mariage. Le vizir comprit immédiatement qu'il devait sauver son fils. Il était trop malheureux. Le conseiller du roi se rendit chez le sultan. Là, les deux hommes décidèrent d'interrompre cette cérémonie le jour même. Les festivités furent immédiatement suspendues. Les rumeurs se répandirent aussitôt, on avait vu sortir le vizir et son fils du palais l'air bien triste. Seul Aladin se réjouissait en secret de l'heureux dénouement. Il attendit patiemment le matin du dernier jour des trois mois de délai accordé par le sultan. Puis, il demanda à sa mère de rappeler au souverain ses engagements.

La noce se prépare   La mère d'Aladin, dans la salle d'audience, s'assit à la place qu'elle occupait auparavant, face au monarque qui la reconnut aussitôt. Il coupa la parole au grand vizir pour inviter la vieille femme à s'approcher. Selon la coutume elle se prosterna, se releva pour obéir aux ordres de son roi. Le délai de trois mois étant écoulé, elle venait aux nouvelles. L'audace de cette dame, que le temps n'avait pas découragée, surprit le souverain. Elle osait renouveler cette demande en mariage extravagante ! Très gêné, il se tourna vers son vizir pour lui demander conseil. La réponse du conseiller fut immédiate : pour se débarrasser de cet inconnu et de sa mère, il fallait fixer un montant de dot très élevé. Ces pauvres gens finiraient par abandonner leur requête. Le sultan réfléchit quelques instants et déclara à la mère d'Aladin que les rois étaient obligés de tenir leurs promesses. Il était donc prêt à accorder la main de sa fille à Aladin mais, pour cela, le prétendant devait prouver qu'il possédait suffisamment de richesses pour rendre heureuse la future épouse. Le roi s'engagea à satisfaire sa demande lorsqu'il aurait reçu de la part du jeune homme quarante bassins sculptés en or et remplis de pierres précieuses, portés par quarante esclaves noirs et quarante esclaves blancs tous richement vêtus. Le roi l'invita à transmettre ce message à son fils. En attendant sa réponse, il patienterait.

Après s'être prosternée une dernière fois devant le trône, la vieille femme, affolée, rentra chez elle pour conseiller à son garçon d'abandonner ce projet insensé. Elle lui fit part des demandes extravagantes de son roi. Le problème était réglé, elle n'y retournerait pas de sitôt. Mais Aladin ne l'entendit pas de cette oreille : les exigences du souverain ne représentaient qu'une infime partie de ce qu'il était capable d'offrir. Qu'elle ne s'inquiète pas, elle pouvait préparer son dîner.

Aladin s'enferma dans sa chambre, frotta la lampe et convoqua le génie qui surgit aussitôt. Promesse fut tenue d'exécuter sur-le-champ les souhaits d'Aladin. Lorsque sa mère revint du marché, elle ne put pénétrer chez elle. Les quarante esclaves noirs chargés de quarante bassins d'or remplis de pierres précieuses plus brillantes et plus grosses les unes que les autres occupaient avec les quarante esclaves blancs chaque pièce, la cour et le jardin très étroit de cette petite maison. Le génie s'était retiré.

Devant tant de merveilles, la vieille, interloquée, tenta de se réfugier dans la cuisine pour poser ses provisions. Son fils l'empêcha de retirer son voile. Il désirait qu'elle se rende le plus vite possible au palais avant la fin de la séance du diwan pour que le sultan constate sa bonne volonté et sa générosité. Il ouvrit la porte, ordonnant aux esclaves de sortir l'un derrière l'autre. Sa mère fermait la marche de ce cortège impressionnant. Ce défilé majestueux attira la foule qui se pressait pour admirer ce spectacle. La beauté de ces hommes, leur allure et leur grâce formaient un tableau ravissant que personne ne voulait manquer. Les esclaves noirs comme les esclaves blancs portaient des tuniques brodées de pierreries. Ils traversèrent ainsi la ville avant de se présenter aux portes du palais. Les gardes, devant tant de luxe, s'avancèrent pour baiser le bas de la robe du premier esclave qu'ils prirent pour un roi. Mais celui-ci annonça qu'il n'était qu'un simple émissaire. Le spectacle était grandiose !

Les esclaves pénétrèrent dans la salle du Conseil royal où ils s'installèrent en demi-cercle. Un à un, chacun se prosterna, déposant aux pieds du sultan le bassin de pierres précieuses, puis s'agenouilla les mains croisées sur la poitrine. Ébloui, le sultan entendit à peine les excuses de la mère d'Aladin. Il se tourna vers son vizir, lui demandant que penser d'une telle dot. Sa fille, la princesse Badroulboudour, en était-elle vraiment indigne ? Quelle que fut l'origine du prétendant, pouvait-on refuser une telle alliance ? Le vizir, quoique blessé et jaloux, ne put en disconvenir. L'assemblée de notables applaudit la décision du roi qui supplia la mère d'Aladin de porter l'heureuse nouvelle à son fils. Le souverain avait hâte de l'accueillir pour l'embrasser et lui accorder officiellement la main de sa fille.

La veuve du tailleur ne put s'empêcher de cacher sa joie ! Comme elle était fière de son fils ! Elle se retira pendant que le souverain, lui, ordonnait que l'on porte les quarante bassins dans les appartements de la princesse à qui il allait de ce pas raconter ce qui leur arrivait.

Pendant ce temps, la mère d'Aladin annonçait l'extraordinaire nouvelle à son fils. Elle lui conseilla de se préparer pour se présenter au palais où le roi l'attendait. Le génie, convoqué aussitôt, obéit, une fois de plus, aux ordres d'Aladin qu'il rendit invisible et qu'il transporta dans un hammam[1]. Lavé délicatement, frotté avec l'attention que l'on portait aux grands de ce monde, parfumé avec des eaux aux mille senteurs, enfin habillé avec raffinement, il se trouva, quelques heures plus tard, installé à nouveau

---

1→ Voir *Ali Baba et les quarante voleurs*, note 1, p. 30.

dans sa chambre où il ordonna au djinn de lui apporter le meilleur cheval du royaume, sellé le plus richement possible. Il commanda également quarante esclaves tous plus beaux les uns que les autres pour former son cortège, et six esclaves au service de sa mère, chargées chacune d'une robe. Enfin il réclama dix mille pièces d'or réparties en dix bourses.

Les vœux d'Aladin furent à nouveau satisfaits. Il s'empressa d'offrir à sa mère les six esclaves qui seraient désormais à son service ainsi que les superbes robes brodées qu'elles portaient. Il partagea les bourses, quatre pour les diverses dépenses, les six autres serviraient aux esclaves qui les jetteraient au peuple pendant la traversée de la ville. Impatient d'arriver au palais, il envoya l'un de ses serviteurs se renseigner sur le moment opportun. L'homme ne tarda pas à revenir, déclarant que le roi les attendait. Aladin se mit en route. Lui qui n'avait jamais appris l'équitation guidait sa monture avec une dextérité et une élégance sans pareilles. Personne ne pouvait reconnaître là le jeune garçon qui jouait encore dans la rue quelques années auparavant. Sur le chemin, il fut acclamé, admiré et remercié. Les cris de joie ponctuaient chaque pièce d'or attrapée au vol, les cris d'admiration saluaient le faste et le luxe d'un seigneur. Tout le monde reconnaissait en Aladin un homme digne d'être l'époux de la princesse Badroulboudour.

Au palais, les courtisans, ébahis devant tant de splendeur, de fierté et de grandeur, convièrent l'heureux élu à se présenter devant le roi, sur son pur-sang, sans mettre pied à terre comme le dictait la coutume. Le monarque, frappé par la fière allure du jeune homme qui contrastait avec celle de sa mère, l'empêcha de s'agenouiller et le pria de s'asseoir entre lui et le vizir. Loin d'oublier d'où il venait, humblement, Aladin remercia le souverain de son accueil. Puis rougissant, il lui expliqua comment sa passion pour la princesse l'avait rendu si hardi. Le sultan, sous le charme du personnage, donna le signal du début des festivités. Le père de la princesse Badroulboudour mangea seul avec son hôte dans un superbe salon où les seigneurs selon leur rang furent invités à les accompagner. L'art de la conversation d'Aladin, son savoir, sa rigueur et sa sagesse impressionnèrent le monarque au plus haut point. À la fin du repas, il commanda à un juge qu'il avait convoqué d'établir un contrat de mariage entre les deux jeunes gens. Aladin obtint sans peine un délai pour construire le plus vite possible une demeure digne de recevoir sa future épouse. Séduit par les bonnes manières de ce gendre, le sultan lui proposa d'élever son château près du sien comme il l'avait lui-même prévu depuis longtemps.

Le plus beau des châteaux

Pour retourner chez lui, Aladin traversa la ville sous les acclamations de ses habitants qui lui souhaitaient bonheur et prospérité. Une fois à demeure, il se précipita dans sa chambre, s'enferma et s'empara de la lampe pour convoquer le génie. Après l'avoir loué pour les bienfaits accomplis au nom de la lampe, sa maîtresse, il lui commanda un palais digne de sa femme. La construction se ferait avec les matériaux les plus riches, le salon, conçu comme un dôme aux quatre surfaces égales, reposerait sur des assises en or et en argent massif. Les jalousies[1] des six croisées de chaque façade devraient être parfaites et enrichies de diamants, de rubis et d'émeraudes, excepté une seule. Ce château se dresserait face à celui du sultan. Dans les cuisines, les offices et les armoires seraient pleines des denrées les plus rares et les plus précieuses. Des écuries abriteraient les plus beaux chevaux du royaume entretenus par des écuyers maîtrisant parfaitement l'art équestre. Il ne fallait pas oublier le personnel nécessaire pour le service de la princesse.

Le lendemain matin, dès l'aube, Aladin, qui dormait d'un sommeil très léger, il est vrai, depuis qu'il était amoureux, sursauta lorsque le génie le réveilla. Ce dernier venait le chercher pour visiter son nouveau palais. Aladin s'étonna de voir son vœu exaucé en une seule nuit. Sans avoir eu le temps de réaliser ce qui lui arrivait, il se trouva au beau milieu du salon ébahi devant un tel miracle. Rien ne manquait à cette nouvelle demeure somptueuse, luxueuse, où chaque serviteur se tenait à son poste. L'unique porte fut ouverte par un trésorier digne de confiance. Ce n'étaient que sacs d'or et de pierres précieuses de différentes grandeurs, empilés les uns sur les autres jusqu'au plafond. Aladin examina avec joie les moindres coins et recoins du palais. Il resta bouche bée devant la coupole du salon et les vingt-quatre croisées : tant de

---

1► Treillis de bois travaillé comme un store pour pouvoir voir sans être vu.

richesses, tant de talents exprimés dans cette seule pièce !
Il se retourna vers le génie, cherchant ses mots pour le féliciter. Il exprima sa joie et ajouta qu'il regrettait d'avoir oublié un seul détail : un tapis de velours déroulé depuis la porte du palais du sultan pour que la princesse marche dessus le jour où elle pénétrerait dans son nouveau château. Lorsque le djinn disparut, Aladin constata que son ordre venait d'être exécuté. À peine eut-il le temps de réagir qu'il se trouva transporté chez lui.

En poussant la porte du palais, les serviteurs du sultan découvrirent cette merveille. La nouvelle se répandit assez vite. Le vizir fut le premier à avertir le souverain. Il lui fit part de son étonnement : cet ouvrage était si étrange qu'il ne pouvait être que le résultat d'un enchantement. Le roi, pensant que seule la jalousie le motivait, lui rappela que ce jeune homme avait déjà prouvé qu'il était certainement fort capable de faire construire une telle splendeur en une nuit. L'heure du Conseil sonna la fin de cette discussion.

Le plus beau des mariages

Pendant ce temps, chez Aladin, on s'organisait. Sa mère, richement vêtue, entourée de ses esclaves, attendait les ordres de son fils. Celui-ci ne tarda pas à l'envoyer se présenter au sultan pour lui annoncer qu'elle accompagnerait la princesse dans sa demeure à la tombée de la nuit. Le cortège de femmes voilées fut accueilli avec les honneurs. La musique retentit dans la ville où chacun se préparait à fêter l'événement. La construction mystérieuse de ce palais plus riche et plus luxueux que celui du sultan était l'objet de toutes les curiosités et de tous les commentaires.

La princesse se précipita pour embrasser la mère d'Aladin qui avait été invitée à s'introduire avec sa suite dans ses appartements. On leur offrit un léger repas en attendant que les servantes terminent d'habiller la future épouse. Le sultan vint passer un moment auprès de sa fille chérie dont il allait se séparer. Il échangea quelques paroles avec la mère d'Aladin qu'il n'avait pas eu l'occasion de voir sans son voile. Il fut agréablement surpris de découvrir une aimable personne, richement vêtue, à la conversation agréable. La nuit tombée, le monarque embrassa tendrement son enfant et la lui confia. Le cortège s'ébranla aux sons des instruments de musique. À la tête de cent esclaves richement vêtues, de cent huissiers, de quatre cents pages tenant chacun un flambeau à la main, les deux femmes foulèrent le tapis de velours qui se déroulait jusque chez Aladin.

C'est avec une joie immense que le marié accueillit la princesse Badroulboudour. Il l'accompagna dans le superbe salon où était dressé un banquet. La jeune fille n'en crut pas ses yeux ! Elle n'avait jamais vu, même chez son père, autant de richesses ! Ils goûtèrent aux mets les plus fins alors que de très belles voix féminines entamaient des chants accompagnés d'un chœur d'instruments les plus divers. Une troupe de danseurs et de danseuses vint remplacer les musiciens à la fin du repas. À minuit, selon la coutume de ce pays à cette époque, Aladin mit fin à la soirée en invitant la princesse Badroulboudour à danser avec lui. Les spectateurs furent éblouis par leur grâce. À la fin de la danse, le jeune époux prit la main de sa femme et la mena vers ses appartements.

Le lendemain matin, Aladin se rendit au palais du sultan pour l'inviter à déjeuner en compagnie de sa fille. Il convia également le grand vizir et les seigneurs de sa Cour. Le roi accepta l'invitation avec plaisir et l'on se mit en route. En pénétrant chez Aladin le souverain fut stupéfait de découvrir un ouvrage aussi parfait. Le salon à vingt-quatre croisées et ses ornements l'éblouirent. Jamais il n'avait vu pareille merveille ! Il s'approcha des vingt-quatre jalousies pour admirer leur perfection. Mais l'imperfection de la vingt-quatrième attira son attention. Peu convaincu par l'explication de son ministre qui pensait que le temps avait peut-être manqué à Aladin, le souverain questionna le jeune homme qui les rejoignait à ce moment-là. Il fallait y voir un signe de reconnaissance : le père de la princesse aurait ainsi le plaisir d'achever le palais et le salon en même temps.

Le roi ordonna qu'on fît chercher immédiatement les meilleurs joailliers du royaume pour terminer ce chef-d'œuvre. Quelques instants plus tard, le père de la princesse Badroulboudour accompagné d'Aladin, du vizir et de nombreux seigneurs, pénétrait dans les appartements de sa fille. Au premier regard, il comprit que son enfant chérie était ravie de son mariage. On se mit à table. Chacun se régala en goûtant aux mets délicats arrosés de boissons exquises. Un orchestre jouait des airs mélodieux. À la fin du repas, le sultan rejoignit les joailliers qui venaient d'arriver au salon. Il leur ordonna de finir la jalousie imparfaite. Comme les artisans s'excusaient de ne pas avoir de pierres aussi précieuses, le monarque les rassura en leur promettant de leur donner celles qu'Aladin lui avait offertes. Pendant six mois, on essaya de terminer l'ouvrage sans succès. Aladin eut pitié de ces bijoutiers. Voyant qu'ils étaient incapables de réaliser un travail équivalent, il les congédia en leur rendant les pierreries. Une fois seul, Aladin sortit la lampe, convoqua le génie et lui demanda de rendre la dernière jalousie pareille aux vingt-quatre autres. Aussitôt dit aussitôt fait.

Le sultan, ayant appris de la bouche même de ses artisans qu'Aladin les avait remerciés, se rendit aussitôt sur son cheval au palais. Au salon, il rencontra le jeune homme qui arrivait en même temps. Il le questionna. Pourquoi vouloir laisser absolument ce détail imparfait dans ce lieu merveilleux ? Son gendre, très délicat, pour éviter de lui avouer que ses richesses étaient insuffisantes, le mit au défi de lui montrer cette imperfection. Le père de la princesse Badroulboudour examina les jalousies et fut contraint de reconnaître à sa grande surprise qu'elles étaient parfaites. Il félicita le jeune homme, le combla de louanges et s'en retourna au palais.

La vengeance du magicien Plusieurs années s'étaient écoulées depuis la fuite du magicien africain qui ne se doutait pas qu'il avait contribué malgré lui à la réussite d'Aladin. Ce dernier, heureux, vivait dans l'insouciance et le luxe. En Afrique, le sorcier, qui avait repris ses activités diaboliques, apprit un jour l'histoire merveilleuse d'Aladin, ce qui le rendit fou de rage. Comment ce fils de tailleur avait-il découvert les pouvoirs de la lampe magique ? Ce qui augmentait sa colère et sa rancune, c'est que loin d'être mort comme il l'avait cru, Aladin jouissait de tous les bienfaits de cet objet extraordinaire. Le jaloux se promit que le jeune homme n'en profiterait pas longtemps !

Après des semaines de voyage, le magicien s'installa incognito en ville. Il voulait connaître ce qui se disait à propos du mari de la princesse. Un soir, en bonne compagnie, dans un lieu extrêmement fréquenté, il se renseigna sur ce palais dont tout le monde parlait. Cet étranger venait certainement de loin pour ne pas savoir où se situait un si bel édifice ! En suivant les indications qu'on lui avait données, il découvrit ce fameux palais. La vision de cette œuvre magnifique le fit pâlir de jalousie ! Aucun être humain n'aurait pu réaliser un tel prodige ! Il fallait maintenant trouver la lampe qui avait permis à Aladin de réaliser cette merveille…

De retour dans son khan, il prit son carré de sable. La séance de géomancie[1] lui révéla que la lampe se trouvait dans le palais. Le méchant homme se frotta les mains. Non seulement il allait récupérer l'objet magique, mais il prévoyait de se venger d'Aladin en le condamnant à vivre dans la plus grande pauvreté. Quand il retourna en ville, il

---

1→ Divination par l'observation des figures formées par des cailloux, de la terre, du sable dispersés au hasard sur le sol.

apprit que depuis trois jours le prince était parti chasser. Il entra dans la boutique d'un marchand de lampes et lui en commanda une douzaine en cuivre bien poli. Le lendemain, il paya un bon prix la marchandise qu'il rangea dans un cabas avant de se rendre chez Aladin. Là il cria qu'il changerait à qui voulait de vieilles lampes pour des neuves. Le magicien déguisé rôda autour du palais entouré par une ribambelle d'enfants. Cet individu qui semblait avoir perdu la raison attira l'attention de la princesse Badroulboudour. Elle envoya sa servante voir ce qu'il en était. Quelques instants plus tard celle-ci revint en se moquant de ce pauvre homme qui échangeait des lampes neuves contre des anciennes.

Sur la cheminée traînait la fameuse lampe magique qu'Aladin avait pris soin de déposer avant son départ. Une des servantes proposa à la princesse de s'en servir pour vérifier que l'homme se conduirait comme il le disait. Ignorant sa valeur la princesse accepta. Elle la donna à un eunuque[1] qui se dirigea vers la porte. Il héla le magicien africain qui reconnut l'objet au premier coup d'œil. Le sorcier déguisé s'empressa de lui montrer son couffin pour que l'esclave y trouve son bonheur. Pendant ce temps, il cacha la lampe magique sous sa vieille tunique. Autour de lui, les enfants qui assistaient à la scène redoublèrent de moqueries mais le méchant homme les ignora. Se faufilant dans des ruelles désertes, il s'éloigna rapidement du quartier après s'être débarrassé du panier dont il n'avait plus

---

1[→] Esclave châtré, chargé de surveiller les femmes du harem.

besoin. Il fit quelques provisions et quitta la ville sans même aller chercher le cheval resté au khan. Désormais, il était sûr de ne plus en avoir besoin !

Lorsqu'il atteignit une clairière à l'écart des chemins fréquentés, il attendit patiemment la nuit pour poursuivre son projet. Le soir venu, il frotta la lampe. Aussitôt le génie apparut, se présentant comme un serviteur fidèle. Le magicien lui ordonna de le transporter, ainsi que le palais et la princesse, à l'instant même, en Afrique.

Ce matin-là, comme à son habitude, le sultan s'apprêtait à admirer du balcon la résidence de ses enfants. La place était vide ! Il se pencha, d'un côté, de l'autre, mais aucune trace du château ne subsistait. Il attendit un moment, espérant se tromper. Se rendant à l'évidence, il se retira dans ses appartements où il convoqua de toute urgence le grand vizir qui, en homme fidèle, se précipita sans remarquer que le palais d'Aladin avait disparu. Aussi apprit-il la nouvelle de la bouche du sultan. Du balcon, il put constater cette disparition. Il retourna auprès de son roi et, sans vouloir l'offenser, lui rappela qu'à plusieurs reprises, dans le passé, il avait essayé de lui faire entendre que tant de miracles, tant de richesses relevaient de la magie. Le monarque, ivre de colère, refusa de reconnaître qu'il s'était trompé. Il ordonna qu'on arrête Aladin immédiatement et qu'on le lui livre enchaîné.

Le grand vizir demanda à ses troupes d'aller surprendre Aladin qui chassait à quelques lieues de la ville. Il ne fallait pas éveiller ses soupçons. Les hommes annoncèrent au prince que le souverain l'envoyait chercher. Près du palais, les soldats de la garde arrêtèrent les chevaux. Là, un officier informa Aladin qu'un ordre du sultan les obligeait à lui passer une chaîne au cou comme un criminel. Bien que surpris, le jeune homme n'opposa aucune résistance, n'ayant rien à se reprocher. Entravé et attaché à un cavalier par un bout de la chaîne fort longue, Aladin termina à pied le chemin du retour. Ce spectacle provoqua la colère des habitants du faubourg, persuadés qu'on s'apprêtait à lui couper la tête. L'hostilité de la foule reconnaissante des bienfaits d'Aladin ralentit la progression du cortège qui atteignit avec beaucoup de difficultés la porte du palais. Le sultan, en compagnie du grand vizir, ordonna immédiatement au bourreau qu'il avait convoqué, d'exécuter Aladin sans même lui demander une seule explication. Après lui avoir retiré ses chaînes, on lui banda les yeux et on le jeta sur une peau de cuir rougie par le sang de ceux qui l'avaient précédé. Le bourreau s'apprêtait à lui trancher la gorge, lorsque le vizir supplia le monarque de suspendre l'exécution. Le peuple venait d'envahir la cour et certains escaladaient déjà les murailles. Il fallait absolument éviter l'émeute en différant la punition. Le sultan, à la fois surpris et effrayé, annonça aussitôt qu'il accordait sa grâce et que chacun pouvait se retirer. Les habitants de la ville rentrèrent chez eux, trop contents d'avoir sauvé la vie d'un homme qu'ils aimaient tant.

Pendant ce temps, Aladin leva la tête vers le balcon où se tenaient le roi et son vizir pour supplier Sa Majesté de l'informer. Quel crime avait-il commis pour être traité de la sorte ? Le souverain faillit s'étrangler de fureur. Qu'il le rejoigne immédiatement et il verrait ! Aladin s'approcha de la fenêtre et regarda dans la direction de son palais comme l'exigeait son beau-père. L'emplacement béant le laissa sans voix. Comment cet édifice avait-il mystérieusement disparu ? Qu'était devenue son épouse ? Le jeune homme n'en avait aucune idée. Comment expliquer au sultan ce qui s'était produit ? Il l'ignorait bien sûr ! Mais le père de la princesse Badroulboudour, hors de lui, n'avait que faire de l'émotion d'Aladin. Il lui couperait la tête s'il ne lui ramenait pas sa fille très prochainement. Profondément humilié, le prince, en proie à un grand chagrin, demanda un délai de quarante jours pour la retrouver. Il jura que s'il dépassait ce terme, il se présenterait lui-même au roi pour que sa tête soit tranchée. Accablé, il se retira après que le souverain lui eut accordé cette grâce tout en le prévenant de respecter sa parole donnée. Ses anciens amis se gardèrent bien de l'approcher pour l'aider. Lorsqu'on le vit aller de porte en porte demander si personne n'avait vu son palais, on le crut devenu fou. Pendant trois jours et trois nuits, il erra, se nourrissant des dons de ceux qui, fort heureusement, n'avaient pas oublié ses bienfaits.

Un matin, désespéré, il quitta la ville pour ne s'arrêter qu'à la nuit tombée quelque part au milieu de la campagne près d'un ruisseau. Là, après avoir longuement réfléchi, découragé et meurtri à l'idée qu'il ne reverrait jamais sa bien-aimée, il décida de se jeter dans la rivière. Il se prépara à prier une dernière fois et voulut faire ses ablutions. En se penchant, il glissa sur la pente mouillée. Par réflexe, il s'accrocha à un petit rocher au bord de l'eau. Le jeune homme avait complètement oublié qu'il portait l'anneau que le magicien lui avait donné avant de descendre dans le caveau. Mais lorsque sa main effleura la pierre, un génie, semblable à celui du souterrain apparut. Se présentant comme son esclave et celui de tous ceux qui ont l'anneau au doigt, il lui demanda d'exprimer sa volonté.

Aladin sauvé par le génie de l'anneau
[…] Cette soudaine apparition redonna des forces à Aladin qui implora le djinn de le sauver une seconde fois en lui indiquant où avaient disparu son palais et sa femme. Mais le génie de l'anneau avoua son impuissance. Ceci relevait du pouvoir du maître de la lampe. Sans attendre, Aladin reformula un vœu : pouvait-il le transporter dans son château quel que soit le lieu ? Instantanément, il se retrouva sous les fenêtres d'un palais plongé dans le silence nocturne. Il reconnut sa demeure. À nouveau plein d'espoir, rasséréné, Aladin s'abrita sous un arbre pour n'être vu de personne. Il s'accorda enfin un peu de repos, lui qui avait perdu le sommeil depuis plusieurs jours.

C'est le chant des oiseaux qui le réveilla à l'aube. À travers ses yeux mi-clos, il goûta au plaisir de contempler la façade de sa résidence, moment paisible bien vite interrompu par l'envie irrésistible de revoir sa bien-aimée. Il se leva et fit les cent pas sous les fenêtres de la princesse, en attendant que le jour se lève. Il eut le temps de réfléchir et de se reprocher d'avoir négligé sa lampe en ne la conservant pas sur lui. Seul cet objet pouvait provoquer un événement à ce point inexplicable ! Qui donc enviait son bonheur au point de lui faire tant de mal ?

Depuis son enlèvement, la jeune épouse avait pris l'habitude de se lever tôt. Ce matin-là, une des servantes, ayant fini d'habiller sa maîtresse, aperçut Aladin, à travers une jalousie. Elle avertit aussitôt la princesse Badroulboudour qui se précipita pour vérifier ses dires. Maîtrisant ses émotions, la princesse chuchota à son mari qu'elle avait fait envoyer quelqu'un pour lui ouvrir une porte secrète par laquelle il se glisserait auprès d'elle. Les époux restèrent un long moment enlacés, exprimant tour à tour leur joie d'être réunis. Lorsqu'ils retrouvèrent leurs esprits, Aladin s'enquit de la fameuse lampe qu'il avait laissée négligemment sur la cheminée. La princesse, désolée, lui avoua que tout avait commencé lorsqu'elle avait accepté l'échange de la vieille lampe pour la neuve.

Elle lui raconta son arrivée dans cette contrée dont elle avait appris depuis qu'on l'appelait « Afrique ». Ce mot éclaira le visage d'Aladin qui venait de comprendre : le traître n'était autre que ce magicien perfide. Il ne fallait pas perdre de temps ; où se trouvait cette lampe ? Badroulboudour lui confia que leur ennemi la dissimulait dans ses vêtements. Elle ajouta que cet être odieux se présentait à elle une fois par jour pour la persuader d'oublier Aladin. Il désirait l'épouser. Jusqu'à présent, elle avait réussi à le repousser. Les larmes qu'elle versait à chaque fois et le désespoir qu'elle exprimait le faisaient fuir. Espérant qu'elle céderait avec le temps, il revenait quotidiennement, dénigrant Aladin et le traitant d'ingrat. Il ne manquait pas une seule occasion de rappeler que le prince lui devait sa fortune. Tout en écoutant son épouse, Aladin avait échafaudé un plan : pouvait-elle le laisser retourner en ville, et, au premier coup frappé, lui ouvrir vers midi la porte secrète même s'il avait changé d'habit ? Il lui ferait alors part de ses projets.

Aladin quitta la princesse Badroulboudour après lui avoir recommandé la plus grande prudence. En chemin, il rencontra un paysan avec qui il échangea ses vêtements, après avoir mis un certain temps à le convaincre d'accepter. Il poursuivit sa route, arriva en ville et se dirigea vers la rue des apothicaires. Il entra dans la plus belle boutique, salua le marchand qui, en un clin d'œil, l'avait jugé trop pauvre pour acheter une quelconque marchandise. Le commerçant affirma que le prix de la poudre qu'Aladin voulait se procurer était extrêmement élevé. Il devait donc passer son chemin. Mais lorsqu'Aladin sortit de sa bourse une pièce d'or pour en acquérir quelques grammes, l'homme cupide se tut, pesa la marchandise, et lui tendit le produit. Aladin fit ses courses avant de retourner très vite au palais.

Comme prévu, au premier coup, il s'introduisit dans le passage secret et rejoignit son épouse. Il lui exposa alors son projet. Il savait combien ce magicien africain était effrayant, mais pour l'éliminer, elle allait devoir le tromper. Ce soir, elle se parerait de sa plus belle robe pour le recevoir. Le visage triste, elle l'accueillerait en adoptant un comportement qui inviterait le sorcier à engager la conversation. Pour ne pas éveiller les soupçons, elle expliquerait longuement à quel point il lui était difficile et douloureux d'essayer d'oublier son mari. Elle ne refuserait pas de goûter le meilleur vin qu'il lui proposerait d'aller chercher dans sa cave. Pendant son absence, elle verserait dans le breuvage la fameuse poudre qu'il venait de lui donner. Elle prendrait soin de la mettre de côté pour ordonner le moment venu qu'on y versât du vin. À la fin du repas, elle demanderait à sa servante de lui apporter cette coupe, ferait semblant d'y tremper ses lèvres avant de l'offrir au magicien africain. L'idée même révulsa la princesse mais il fallait être raisonnable. À peine le magicien aurait-il bu une gorgée qu'il tomberait à la renverse foudroyé par le poison. La princesse promit à son époux de faire comme ils étaient convenus puis Aladin se retira. Il s'éloigna du palais et attendit la nuit pour s'approcher à nouveau de la porte secrète.

Pour la première fois depuis très longtemps, Badroul-boudour se préoccupa de sa beauté. Elle convoqua ses servantes pour l'aider à s'habiller, se coiffer et choisir les plus beaux bijoux afin de mettre à exécution le plan d'Aladin. Comme à l'accoutumée, le magicien africain se présenta. Intrigué par le changement d'attitude de la jeune femme, il n'en fut pas moins ébloui par cet être d'exception. Elle l'invita à s'asseoir et prit la parole. Afin de rassurer son ennemi, elle expliqua qu'elle avait longuement réfléchi au sort d'Aladin. Elle devait se rendre à l'évidence : le magicien avait raison, son mari avait certainement été exécuté par le sultan, son père. D'où le recueillement qu'elle avait observé jusqu'à maintenant. Mais le temps faisait peu à peu son travail et elle avait pris la décision de changer. Elle était courageuse et aimait la vie, elle y parviendrait. D'ailleurs, pour lui montrer ses nouvelles résolutions, elle lui proposait de souper ensemble le soir même. Comme elle avait envie de goûter au vin d'Afrique, elle comptait sur lui pour lui en offrir du meilleur. L'hypocrite n'en revenait pas. Fort ému, dissimulant sa joie de dîner en tête à tête avec elle, il prit congé pour chercher deux carafes d'un vin excellent qu'il conservait dans un coffre. Elle lui avait bien suggéré d'envoyer quelqu'un, mais il avait refusé car lui seul possédait la clé de ce meuble.

Pendant son absence, la princesse versa la poudre achetée par Aladin dans une coupe qu'elle posa à part sur le buffet. Le fourbe, heureux des faveurs de son hôtesse, revint aussitôt. Elle l'invita à s'asseoir dos au buffet. Au cours du dîner, une conversation charmante s'engagea. Le sorcier, séduit, acheva le troisième verre de ce vin qu'il avait offert. Vraiment, il n'en avait jamais bu de meilleur ! La jeune femme avait pris soin de le flatter. Elle fit verser du vin dans la coupe posée sur le buffet tout en remplissant encore une fois celle de son ennemi. Badroulboudour interrompit son invité pour le convier à observer une coutume de son pays, la Chine : l'échange des verres de deux amants pour sceller leur amitié. Elle lui tendit le sien. Le magicien, heureux, la couvrit de compliments. Mais elle le pressa de boire, ils avaient la nuit pour discourir. Elle trempa ses lèvres. Lui, comblé de joie, but d'un trait. À la dernière gorgée, il vacilla pendant que la coupe se brisait. Sans avoir eu le temps de dire un mot, il tomba de tout son poids sur le sol, sans vie.

Aladin accourut sans attendre qu'on lui ordonne de rentrer. Agenouillé près du corps de son ennemi, il demanda à sa jeune épouse, enfin soulagée, de se retirer dans ses appartements. Il devait agir très vite. En fouillant rapidement le corps inerte du magicien, il trouva la lampe qu'il frotta immédiatement, faisant apparaître le djinn à qui il demanda au nom de la lampe de bien vouloir transporter immédiatement le palais en Chine pour qu'il retrouve sa place. Le génie s'inclina avant de disparaître.

Les retrouvailles Depuis l'enlèvement de son enfant, le sultan, inconsolable, avait pris l'habitude de s'accouder plusieurs fois par jour à ce balcon face au palais disparu. Il crut ce matin-là que ses larmes lui jouaient une fois de plus un mauvais tour. Pourtant, il se concentra et fut forcé de reconnaître que la demeure d'Aladin était à sa place. Fou de joie, il ordonna qu'on lui amène son cheval et se hâta vers la demeure. Aladin, qui avait tout prévu, avait revêtu à l'aube ses plus beaux vêtements pour accueillir son beau-père. Lorsque ce dernier se présenta au salon, il écarta le prince, exigeant de voir sa fille sur-le-champ. Aladin le conduisit dans la chambre de sa femme à qui il avait pris soin le matin même de rappeler qu'elle n'était plus en Afrique. Le sultan étreignit Badroulboudour avec tendresse et soulagement. Tous les deux hésitaient entre les rires et les larmes. Le sultan s'assit, l'attira à lui et lui demanda de lui raconter ses aventures. Ce qu'elle fit avec beaucoup de plaisir. Elle était la seule fautive, son époux, son bienfaiteur, pour qui elle avait craint la colère paternelle, l'avait sauvée. D'ailleurs il était le seul à pouvoir achever le récit des dernières péripéties. Mais Aladin ne voulut rien ajouter, il n'avait pas grand-chose à dire. Comme preuve de sa bonne foi, il proposa d'accompagner le sultan dans le salon aux vingt-quatre croisées constater la mort du sorcier.

Devant le corps inanimé de cet individu malfaisant, le roi s'excusa auprès d'Aladin. Il regretta sa conduite. Comment se faire pardonner ? Entièrement dévoué à son seigneur, Aladin déclara que l'unique cause de ses malheurs gisait là à leurs pieds. Tout cela appartenait désormais au passé. Ordre fut donné de jeter le cadavre de ce magicien africain à l'extérieur de la ville pour que les animaux et les oiseaux s'en repaissent. Puis le sultan proclama dix jours de festivités pour célébrer le retour des deux jeunes gens dans leur palais.

Un nouveau piège

[…] De son côté, le frère cadet du sorcier africain, qui vivait loin de son pays, s'inquiétait : depuis un an son frère ne s'était pas manifesté. Même si l'un se trouvait au couchant pendant que l'autre était au levant, ils avaient l'habitude de se donner des nouvelles l'un à l'autre. Ce deuxième géomancien[1] sortit donc son carré de sable pour y tracer des figures qui lui révélèrent le sort de son frère. Bien qu'horrifié par

---

1→ Devin.

ce qu'il venait d'apprendre, il jugea qu'il n'y avait pas de temps à perdre et décida de le venger sur-le-champ. Après avoir recueilli les renseignements nécessaires, il entreprit de voyager, traversa plaines, déserts et montagnes et atteignit la capitale de la Chine désignée par la géomancie, où il s'installa.

Les jours suivants, pour s'informer dans le but d'exécuter son projet détestable, le magicien fréquenta les lieux publics de la ville. Il apprit ainsi l'existence d'une sainte femme, nommée Fatime, qui suscitait l'admiration de tous. Recluse, elle ne sortait que deux jours par semaine pour accomplir des miracles. Elle consacrait son temps aux jeûnes, vivait dans une grande austérité et donnait le bon exemple. Le sorcier pensa que cette personne pouvait l'aider, il la surveilla pour connaître ses habitudes.

Des semaines plus tard, un soir vers minuit, ce sombre individu sortit de son hôtel pour se rendre chez Fatime. Comme la porte était à peine fermée, il s'introduisit sans peine dans la mansarde. S'approchant du corps endormi de la sainte femme, il tira son poignard. La lame brilla à la lumière du rayon de lune. Effrayée, Fatime sursauta. Il la menaça avec son arme pour l'obliger à échanger leurs vêtements et la forcer à le maquiller. À condition que la ressemblance soit frappante, elle n'avait rien à craindre pour sa vie. Fatime s'empara d'une liqueur indélébile, lui grima le visage puis lui mit sa propre coiffure sur la tête avec un voile. Elle venait de lui passer un collier de grosses perles autour du cou et s'apprêtait à lui confier le bâton qu'elle avait coutume de tenir, lorsque le magicien, oubliant ses promesses, l'étrangla et jeta le corps sans vie de la pauvre femme dans le puits qui se trouvait derrière la maison. Le lendemain, bien décidé à accomplir son funeste projet, il se dirigea vers le palais d'Aladin.

En chemin, chacun croyant reconnaître Fatime, la vertueuse, qu'il imitait si bien, lui demandait de satisfaire ses vœux. À l'entrée du palais, l'affluence fut plus grande. Le bruit des querelles des gens qui se disputaient pour approcher la sainte femme, parvint aux oreilles de la princesse. Elle demanda à une de ses servantes de regarder par la jalousie pour lui dire quelle était la raison de ce vacarme. L'esclave lui rapporta que l'on se pressait autour d'une vieille pour être soulagé de maux de tête qu'elle savait guérir par l'imposition des mains.

Aussitôt Badroulboudour ordonna qu'on aille chercher cette sainte pour s'entretenir avec elle. La foule se dispersa en voyant s'approcher les eunuques. Le magicien déguisé jubilait sous son voile : la première étape de son plan semblait fonctionner. Il accepta l'invitation qu'on lui faisait de s'introduire au palais. Sur le seuil des appartements de la princesse, il entama une longue prière. L'épouse d'Aladin, qui pensait sincèrement que ceux qui se présentaient comme les serviteurs de Dieu étaient bons, fut impressionnée par ce spectacle. Elle convia donc la fausse vieille à s'asseoir auprès d'elle. Elle désirait connaître le récit de la vie d'une personne aussi pieuse qui, par ailleurs, saurait certainement lui enseigner comment servir Dieu. L'hypocrite lui répondit qu'il ne pouvait être interrompu dans ses prières et dans ses exercices de dévotion. Compatissante, la jeune femme lui proposa de s'installer dans un appartement inoccupé.

Cet homme odieux, qui n'avait d'autre idée en tête que de se venger, fit mine de ne pouvoir refuser une offre aussi généreuse. Il la suivit, visita des appartements et choisit celui qui semblait le plus petit. Le perfide poursuivait son projet, soignant son image de sainte, pieuse et indifférente aux plaisirs et aux richesses de ce monde. Il alla, pour éviter d'avoir à ôter son voile, jusqu'à refuser l'invitation à dîner de la princesse, prétextant qu'il ne mangeait que du pain et des fruits secs. Badroulboudour, touchée par tant d'abstinence, lui accorda l'autorisation de se retirer en la priant d'accepter un repas très léger servi dans sa chambre. Elle lui fit promettre également qu'elle la rejoindrait, une fois le souper achevé.

Le magicien ne manqua pas de se présenter au salon à la fin du repas. Badroulboudour qui voulait que Fatime bénisse sa demeure lui demanda son avis avant d'entamer la visite du palais pièce par pièce. Le magicien, qui continuait de garder la tête baissée, sembla admirer les splendeurs architecturales du salon. Enfin, il déclara, feignant mille précautions, qu'un seul détail manquait pour transformer ce lieu en merveille de l'Univers : un œuf de Roc[1], suspendu au milieu de la coupole. La princesse l'interrogea à propos de ce Roc et de l'endroit où l'on pourrait le trouver. D'après la prétendue Fatime, il s'agissait d'un

---

[1] L'oiseau Roc est une créature fabuleuse des contes persans. Oiseau gigantesque qui enlève des proies de sa taille comme des éléphants, et même des navires.

immense oiseau qui vivait au sommet du mont Caucase.
Puis la conversation se poursuivit mais l'hôtesse n'oublia
pas la remarque de sa protégée.

Lorsqu'Aladin revint de la chasse, il fut surpris de sentir
son épouse plus distante. Elle ne l'accueillait pas comme à
l'accoutumée. Comme il lui demandait les raisons d'une
telle attitude, elle lui fit part de ses réflexions sans l'informer de la présence de Fatime dans le palais : elle était per-
suadée que leur demeure était une pure merveille, mais
dans la pièce aux vingt-quatre croisées, cet après-midi
même, elle avait constaté qu'il manquait au milieu de la
coupole un œuf de Roc. Aladin la rassura. Son désir ne
tarderait pas à devenir réalité. Il se retira au salon et sortit
la lampe de son vêtement. Après l'avoir frottée, le génie
apparut. Aladin lui transmit la demande de sa femme.

En prononçant le mot Roc, il provoqua la colère du
djinn dont les cris firent trembler les murs. Aladin se vit
reprocher son ingratitude. Suspendre un œuf de Roc au
milieu de cette salle signifiait pendre son maître. Voulait-il
être réduit en cendres, lui, la princesse et ce palais ? Heureusement qu'Aladin n'était pas l'auteur de ces propos,
mais il fallait qu'il sache que le frère du magicien africain
s'était introduit chez lui afin de venger son frère. Cet être
malfaisant avait assassiné une vieille femme, avant de se
déguiser en sainte. C'est lui encore qui avait suggéré cette
idée abominable à Badroulboudour. Le génie lui recommanda de se méfier de cet individu qui voulait le tuer. À
ces mots, il disparut.

Aladin, qui avait entendu parler de cette guérisseuse et

de ses pouvoirs, regagna ses appartements. Il entra, s'assit et feignit un atroce mal de tête. La princesse convoqua aussitôt la fausse Fatime, tout en racontant à son mari pourquoi elle l'avait installée chez eux. Aladin remercia la bonne femme, lui exposa son mal et lui présenta sa nuque pour qu'elle y pose les doigts. Le magicien s'avança de côté, la main sur son poignard mais Aladin, vigilant, arrêta le bras meurtrier et planta son couteau dans le cœur du sorcier. Le corps tomba à terre sans vie. Badroulboudour, choquée, hurla qu'il avait tué une sainte femme. Aladin la prit dans ses bras et lui raconta ce qui venait de lui arriver et dans quelles conditions il avait appris comment cet homme, frère du magicien africain, s'apprêtait à l'assassiner.

Un bonheur éternel Délivré enfin de toute inquiétude, Aladin put goûter au bonheur de vivre avec sa bien-aimée. Lorsque bien plus tard, le vieux sultan mourut, la princesse Badroulboudour, seule héritière, lui succéda. Et c'est ainsi que le fils du tailleur monta sur le trône pour régner aux côtés de son épouse devenue désormais prudente et sage. Pendant de longues années, respectés de tous, ils gouvernèrent ensemble leur royaume, assurant à leurs sujets, par leur bienveillance, une vie paisible et prospère.

Schéhérazade

Schéhérazade délivre les jeunes filles de leur destin tragique en séduisant le roi par ses récits durant mille et une nuits.
La séductrice inspire les peintres orientalistes du XIXe siècle qui la transforment en aimable courtisane.

La traduction des *Mille et Une Nuits* **par Antoine Galland a suscité** dans l'imaginaire occidental la représentation d'un Orient raffiné qui se confond avec une image très sensuelle de la femme.

Le peintre Paul Émile Detouche (1794-1874) interprète ici le conte-cadre. Sous le regard bienveillant de sa sœur, Schéhérazade, telle une courtisane, s'adresse au jeune roi affable accoudé sur un sofa. Les turbans, les drapés soyeux el les babouches sur des sols aux motifs géométriques créent l'atmosphère orientale de la scène.

Schéhérazade,
**Paul Émile Detouche.
Huile sur toile.
XIXe siècle.**

Palais et jardins

Les palais des *Mille et Une Nuits* suggèrent la splendeur et la richesse des citadelles fortifiées bâties par les différentes dynasties musulmanes. L'atmosphère paisible et voluptueuse des jardins évoque l'image d'un paradis céleste.

Les jardins de l'Alhambra, le « château rouge », **symbole** de la présence musulmane en Espagne, sont la représentation terrestre des plaisirs promis au fidèle musulman dans l'au-delà. Le murmure de l'eau, les couleurs ocres de la pierre, les parfums des fleurs et les bruissements des oiseaux dans le feuillage des arbres fruitiers invitent le promeneur à se laisser envahir par un sentiment d'éternité. Le lecteur, lui, sera séduit par le décor paradisiaque des palais des *Mille et Une Nuits*.

Jardins de l'Alhambra.

Surplombant les vieux quartiers de Grenade, les fortifications moyenâgeuses du château rouge abritent de nombreux palais qui se reflètent dans des bassins rectangulaires entourés de jardins ombragés. Chaque détail architectural invite le visiteur, fasciné par le raffinement et les splendeurs de cette époque médiévale, à se plonger dans l'univers des contes des *Mille et Une Nuits*. Dans le bain royal du palais de Comares, il imaginera un instant la belle princesse Badroulboudour. Peut-être rencontrera-t-il dans la salle des Rois, également connue sous le nom de salle de Justice, la mère d'Aladin

Dans l'Alhambra. Adolf Seel. Huile sur toile. 1886.

attendant patiemment d'être reçue par le sultan. À moins qu'il ne choisisse l'ombre d'un cyprès pour écouter la légende des amours de la femme du sultan Boadbil avec un chevalier Abencérage...

Le peintre voyageur
du XIXᵉ siècle se confronte
à de nouveaux horizons
géographiques.
Sa fascination pour
un Orient exotique
nourrit son désir
d'explorer des perceptions
de l'espace et du
monde novatrices.

**En 1834, après
un séjour à Alger,
le peintre** Eugène
Delacroix (1798-1863)
expose les *Femmes
d'Alger dans leur
appartement*.
Malgré le désir de
l'artiste d'exprimer
avec précision ses
impressions de voyage,
ce tableau n'en reste
pas moins marqué
par l'expression d'une
vision d'un Orient
sublimé. Les objets,
les costumes, la
posture des femmes,
la composition même
du tableau, véritable
mise en scène,
nous plongent dans
l'atmosphère
voluptueuse des
Mille et Une Nuits.

*Femmes d'Alger dans
leur appartement*.
**Eugène Delacroix.
Huile sur toile. 1834.**

Kamar al-Zaman et la femme du bijoutier. Marc Chagall. Encre sur papier. 1948.

Si aucun manuscrit ni aucune copie des *Mille et Une Nuits* n'étaient illustrés à l'origine, depuis, l'œuvre a inspiré de nombreux artistes illustrateurs.

Alors qu'il est exilé aux États-Unis pendant la Seconde Guerre mondiale, Marc Chagall, peintre français (1887-1985), réalise des lithographies des *Mille et Une Nuits* en couleur. La limite entre rêve et réalité est brouillée par l'utilisation naïve des couleurs et par la pureté du trait qui s'estompe. Au centre du tableau, une jeune femme dénudée semble avoir été dépouillée des fastes d'un Orient exotique rendu plus humble par ce personnage pieux agenouillé devant elle.

Comment reconnaître Sindbad le marin,
autre héros des contes des *Mille et Une Nuits*,
accroché à une des griffes du fameux oiseau
Roc à l'œil malicieux ? L'interprétation
romantique d'Edmond Dulac (1882-1953),
l'un des illustrateurs les plus célèbres au
Royaume-Uni, traduit par des couleurs chaudes
et fondues l'univers onirique de ce récit.

*Sindbad le marin
transporté par
l'oiseau Roc.
Edmond Dulac.
Illustration pour les
Mille et Une Nuits.
1911.*

Aladin et le génie

Aladin transporté par le génie, illustration pour les *Mille et Une Nuits*, XIXᵉ siècle.

Étrange destinée que celle de ce conte qui est en principe étranger au recueil des *Mille et Une Nuits* ! Il est devenu au fil du temps le plus célèbre d'entre eux grâce au génie, esclave de la lampe magique d'Aladin, convoqué par le hasard d'un frottement.

Aladin est le héros éponyme du conte. Mais c'est le génie sorti de sa lampe merveilleuse qui est au centre des interprétations artistiques. Ainsi cette illustration place-t-elle un minuscule personnage assis en tailleur dans la main d'un gentil génie enturbanné aux oreilles pointues. Le merveilleux se traduit dans le mouvement de la babouche capable de repousser le cadre du tableau et de réduire à des pétales de fleur les montagnes, symbole des épreuves à affronter.

Hâsib et
la Reine des serpents

Hâsib Karîm ad-Dîn, le héros de ce conte, est le fils tant attendu d'un sage grec, Daniel, soucieux de transmettre son immense savoir concentré sur cinq feuillets qu'il a réussi à sauver d'un naufrage juste avant de mourir. L'abandon d'Hâsib par des bûcherons au fond d'une fosse l'entraîne dans un parcours initiatique qui le guidera vers la connaissance. Hâsib s'enfonce dans un monde souterrain où il découvre le royaume des serpents. Prisonnier de la reine, il est aussi le destinataire du récit qu'elle fera du périple de Bulûqiyyâ, le fils du roi des Hébreux du Caire. Dans ce deuxième conte enchâssé dans le premier, Bulû-qiyyâ, après avoir trouvé à la mort de son père un texte extrait de la Torah annonçant la mission d'un nouveau prophète, décide de tout quitter pour partir par amour à la rencontre de Muhammad. Yamlîkhâ, la Reine des serpents, par crainte d'une trahison de son hôte Hâsib, refuse de le laisser rejoindre le monde des hommes : il doit écouter jusqu'au bout les aventures merveilleuses de Bulû-qiyyâ. Dans un troisième conte, ce dernier, qui a parcouru le monde céleste, va découvrir près d'une tombe un jeune homme en pleurs, Jânshâh, le fils du roi de Kâbul. Inconsolable, celui qui a bravé ciel et terre pour rejoindre la femme-génie dont il est éperdument amoureux, est assis là auprès de sa bien-aimée emportée par une morsure de serpent. Il sanglote, attendant lui-même de pouvoir la rejoindre dans sa tombe.

Et c'est ainsi que la Reine des serpents, comme Shéhérazade qui interrompt ce récit cinquante-quatre fois pour entretenir savamment le suspense, nous entraîne pour notre plaisir et malgré nos appréhensions à la découverte d'une légende mêlant épisodes amoureux et méditations.

Jadis, Daniel, un vieux sage grec, réputé pour son immense savoir, était respecté par tous ses disciples qui s'inclinaient devant sa grande autorité. [...]

Il se désespérait de ne pas avoir de fils. Il aurait tant aimé lui transmettre ses connaissances. Un soir, le vieil homme, inconsolable, supplia Dieu de lui accorder cette dernière faveur. Après la prière, il se pressa de rentrer chez lui pour dire adieu à sa femme. Le lendemain, il partit en voyage. Malheureusement, son bateau fit naufrage forçant l'infortuné à revenir chez lui. Il avait perdu tous les livres dont il ne se séparait jamais. Seuls cinq feuillets furent sauvés. Au moment où il les plaçait dans une boîte fermée à clé, il découvrit que sa femme était enceinte. Fou de joie et de reconnaissance, il remercia son Seigneur et s'adressa à son épouse :

– Je sais que je vais mourir mais je l'accepte puisque mon dernier vœu est exaucé. Après ma mort, tu appelleras cet enfant Hâsib Karîm ad-Dîn[1]. Pour son éducation, tu lui choisiras les meilleurs précepteurs. À l'âge adulte, tu lui remettras la clé du coffret. Les feuillets que j'y ai cachés

---

1► La traduction « Hâsib le généreux envers la religion » n'apporte aucune information nécessaire à la compréhension. Dans une note de la traduction de J. E. Bencheikh et A. Miquel, il est précisé que dans certaines versions le nom de ce personnage est Jamasp, frère et ministre d'un ancien roi de Perse.

feront de lui l'homme le plus savant du monde. À présent, laisse-moi.

Lorsqu'il mourut, une foule considérable de proches et d'amis attristés par cette disparition soudaine l'accompagna dans sa dernière demeure.

Hâsib Karîm ad-Dîn : le temps des épreuves

Quelques mois plus tard, sa femme accoucha d'un superbe garçon qu'elle nomma Hâsib Karîm ad-Dîn. Les astrologues[1] aussitôt convoqués prédirent que l'enfant vivrait longtemps. S'il échappait au danger qui le guettait au début de sa vie, il deviendrait, à son tour, un homme sage et respectable.

Malgré les efforts de la veuve, le garçon refusa de s'instruire. On le maria très tôt pour qu'il se sente responsable, mais en vain. Le jeune homme continua de vivre comme avant. Des voisins, bûcherons de leur état, proposèrent à cette mère désespérée de l'aider. Si elle lui achetait un âne, une corde et une hache, ils emmèneraient Hâsib avec eux dans la montagne. Ainsi le fils de Daniel subviendrait-il convenablement aux besoins de sa tribu[2]. La pauvre femme s'empressa de suivre leur conseil.

Des semaines durant, Hâsib Karîm ad-Dîn accompagna ses bienfaiteurs. Ensemble, ils chargeaient les bêtes, vendaient leur bois et nourrissaient leur famille. Une

---

1→ Un astrologue prévoit le destin des hommes en étudiant les astres et leurs prétendues influences sur les caractéristiques psychologiques de ceux-ci.
2→ Famille élargie.

après-midi, un violent orage les surprit, les forçant à s'abriter dans une caverne. Hâsib, assis à l'écart du groupe, s'amusait à frapper la terre de sa hache. Quand tout à coup apparut un anneau. Il appela ses compagnons pour soulever la dalle.

À cet endroit, ils découvrirent une vaste ruche souterraine abandonnée par les abeilles. Fous de joie, ils décidèrent que le plus jeune monterait la garde pendant qu'on irait en ville se procurer des récipients pour vendre le miel en quantité et se partager les gains. Hâsib surveilla les lieux pendant que ses amis allaient et venaient de la grotte à la ville. Cependant, les réserves s'amenuisaient. Les bûcherons, avares et malveillants, se réunirent pour décider d'abandonner leur protégé. Ainsi, il ne réclamerait pas son dû ! Le soir même, Hâsib, obéissant, se dévoua pour recueillir le reste de miel. Quand il eut achevé sa tâche, il appela pour qu'on le remonte. Malheureusement, les hommes avaient disparu depuis bien longtemps, l'abandonnant à son triste sort.

Le lendemain, les voisins se présentèrent chez la mère de Hâsib pour lui annoncer la mort de son fils. Ils lui racontèrent que, sous une pluie battante, celui-ci avait voulu rattraper son âne qui tentait de s'échapper. Un énorme loup avait alors surgi pour les dévorer, lui et sa bête. Ce récit bouleversa la veuve de Daniel. Les nombreuses condoléances qu'elle reçut ne la consolèrent pas de cette disparition. Les bûcherons, devenus riches, menaient joyeuse vie tout en continuant chaque jour d'apporter à la malheureuse à boire et à manger.

Pendant ce temps, au fond de la fosse, Hâsib se lamentait. Un matin, au réveil, il aperçut un scorpion. Comment cette bête dangereuse avait-elle pénétré dans cette grotte remplie de miel ? Effrayé, il se leva, la tua immédiatement et examina minutieusement les parois rocheuses jusqu'à découvrir un faisceau de lumière. L'horrible animal avait dû s'introduire par cette minuscule fissure. Il s'empara de sa hache pour élargir l'ouverture par laquelle il allait peut-être pouvoir s'échapper. Brusquement le souterrain s'ouvrit devant lui. Il s'y engagea mais se heurta très vite à une porte monumentale. Son visage se trouvait à la hauteur d'une serrure d'argent sur laquelle brillait une clé d'or. Sans bruit, les battants s'entrouvrirent. Ébloui par une vive lumière il s'avança jusqu'à un immense lac. Sur un promontoire de topaze verte trônait un lit d'apparat d'or incrusté de pierreries. Il se hissa et, là, contempla avec stupéfaction les douze mille sièges d'or, d'argent, et d'émeraude qui l'entouraient. À bout de forces, il s'endormit profondément.

Hâsib Karîm ad-Dîn chez la Reine des serpents

Des sifflements stridents réveillèrent Hâsib. Des serpents monstrueux s'étaient confortablement installés sur les sofas pendant son sommeil. Terrorisé, le jeune homme se trouvait cerné par d'innombrables reptiles dressés à la surface des eaux pour former une haie d'honneur. Au milieu du vacarme, l'un d'entre eux s'approchait. Aussi gros qu'une mule, il était chargé d'un plateau d'or au centre duquel trônait un autre serpent au visage féminin. Dans une langue arabe raffinée, le serpent de cristal, que l'on venait d'installer sur son trône, salua l'étranger. L'assemblée se prosterna devant cette étrange créature. D'un geste, elle ordonna à tous de se relever, puis s'adressant à son hôte, elle se présenta, le rassura et lui offrit des fruits. Pendant qu'il se rassasiait, elle souhaita connaître les raisons de sa présence en ces lieux. Elle écouta avec intérêt l'histoire de Hâsib et de son père Daniel et attendit la fin pour l'inviter à séjourner plus longtemps dans son royaume. Ainsi pourrait-elle lui raconter à son tour les aventures merveilleuses qu'elle avait vécues. Hâsib, charmé, accepta. À la nuit tombée, la Reine des serpents entama son récit.

Début du récit de Yamlîkhâ, la Reine des serpents

Autrefois vivait au Caire un roi d'Israël[1], réputé pour être un grand savant. Il adorait lire des ouvrages scientifiques. Se sachant condamné, il convoqua les notables pour leur prodiguer ses dernières recommandations : « Je vous confie mon enfant unique Bulûqiyyâ. Prenez soin de lui. Dieu est grand. » Sa mort attrista tout le pays. Après l'enterrement, son fils lui succéda sur le trône. Il se comporta en monarque juste et généreux, assurant à son peuple une vie paisible.

1→ Royaume fondé par les Hébreux après la conquête de la terre de Canaan.

Le conte et les références religieuses

L'accumulation de références religieuses tend à construire un cadre qui rend vraisemblable la quête religieuse du héros. Bulûqiyyâ, fils du roi d'Israël, devenu roi lui-même, découvre un parchemin où est mentionnée l'annonce de l'avènement du prophète Muhammad. Cet épisode n'est pas sans nous rappeler que le Coran entend révéler, enfin, aux juifs, les parties de la Torah supprimées par leurs ancêtres (les exégètes musulmans précisent qu'il s'agirait notamment des phrases annonçant la venue de Muhammad). Les rouleaux d'Abraham et la Torah sont donc évoqués, le roi d'Israël accusé de dissimulation (dans le Coran, chrétiens et juifs sont accusés de falsification des Écritures).

Le contexte historique et sacré sert donc au conte pour construire l'image pieuse d'un saint capable de se détourner des richesses d'ici-bas pour aller à la rencontre de son prophète. Cette quête vient ici rappeler le parcours initiatique de Hâsib, également fils d'un savant (désigné d'ailleurs comme un prophète à la fin de certaines versions du conte-cadre). Rappelons que ce sage, Daniel, a caché les quelques feuillets sauvés d'un naufrage dans un coffret dont il a remis la clé à sa femme pour que Hâsib en hérite à l'âge adulte.

Le jeune souverain aimait se délasser en visitant les pièces où se trouvaient les trésors entassés par ses aïeux. Un jour, au fond d'une salle, une petite chapelle attira son attention. En son milieu s'élevait une colonne de marbre surmontée d'un coffret d'ébène. Il s'approcha, s'en empara et l'ouvrit. À l'intérieur, une autre boîte, en or celle-là, contenait un parchemin qu'il déroula. À la lecture de l'annonce de la prophétie de Muhammad[1], il sentit naître en lui un amour profond pour ce nouveau messager.

1→ Annonce par Jésus de la venue d'un « messager » du nom d'Ahmad.

Il convoqua immédiatement ses conseillers, docteurs de la Loi, devins et ascètes, pour leur révéler l'existence de ce précieux document. Son père l'avait certainement soustrait à la Torah[1] et aux rouleaux d'Abraham[2]. Comment avait-il pu dissimuler ces pages sacrées? Que l'on exhume son corps et qu'on le brûle! Les Grands du royaume essayèrent de le calmer. Bulûqiyyâ, ignorant la réaction des sages, courut annoncer à sa mère son intention de partir. Avant le lever du soleil, il irait à la rencontre de ce nouveau prophète pour qui il était capable de donner sa vie. C'est pour cela qu'il avait troqué ses vêtements de roi pour un manteau de voyage et des chaussures de route.

Pour l'amour d'un nouveau prophète : la quête de Bulûqiyyâ

Il embrassa la vieille femme en larmes. Sans avertir personne, il s'embarqua en direction de la Syrie sur un bateau avec d'autres voyageurs. Lorsque le navire accosta sur une île, les passagers descendirent. Bulûqiyyâ s'isola sous un arbre et s'endormit. À son réveil, il aperçut au large les voiles de l'embarcation qui s'éloignait sans lui. Mais il n'eut pas le temps de se lamenter, des rumeurs s'élevaient de l'autre côté des terres. Il se dirigea vers ces clameurs et découvrit avec stupeur des reptiles aussi gros

---

1→ Loi transmise par Moïse au peuple d'Israël, constituant les cinq premiers livres de la Bible.
2→ Traduction d'écrits qu'aurait rédigés Abraham du temps où il était en Égypte.

que des chameaux qui invoquaient Dieu et chantaient ses louanges. À la vue du jeune homme, les bêtes au sang froid s'interrompirent et formèrent un cercle autour de lui. L'un des serpents l'interpella :

– Qui es-tu ? Quel est ton nom ? D'où viens-tu ? Quel est le but de ton voyage ?

– Je m'appelle Bulûqiyyâ, je suis le fils d'un roi d'Israël, et je marche à la rencontre de mon nouveau prophète Muhammad. Et vous qui êtes-vous ?

– Nous sommes des créatures de Dieu. Nous châtions les impies[1]. Lorsque l'Enfer, notre demeure, souffle deux fois par an, nous sommes expulsés de ses entrailles, et lorsqu'il inspire nous y revenons.

– Mais, pourquoi louez-vous Dieu et son prophète Muhammad ?

– Son nom est gravé sur la porte de l'Enfer !

Bulûqiyyâ, impatient de poursuivre sa route à la rencontre du prophète, salua les serpents et rebroussa chemin. Très vite, un autre navire accosta, le jeune homme embarqua aussitôt. Mais son séjour en mer ne fut pas bien long car le bateau atteignit bientôt d'autres côtes. Dès qu'il foula le sol, une multitude de serpents de différentes tailles l'encerclèrent. L'un d'entre eux aussi gros qu'un éléphant portait un plateau d'or.

La Reine des serpents poursuivit :

– C'est, perchée sur ce trône, que je rencontrai Bulûqiyyâ. J'écoutai avec beaucoup d'attention le récit de ses

---

1→ Ceux qui ne respectent pas la religion.

mésaventures. Lorsqu'il se tut, je lui proposai d'être mon invité.

Le piège tendu par Bulûqiyyâ et 'Uffân, le nouveau compagnon de route

[…] Après cette courte halte, Bulûqiyyâ reprit aussitôt sa route vers Jérusalem. Là, à peine arrivé, il s'isola pour prier. Un passant intrigué par cet étranger qui lisait la Torah l'interrompit : qui était-il ? d'où venait-il ? où allait-il ? Après avoir répondu de bonne grâce à toutes ses questions, le fils du roi d'Israël interrogea à son tour son interlocuteur. L'homme, un certain 'Uffân, était maître en géométrie, en astronomie et en mathématiques. Il lisait couramment la Torah, les Évangiles[1], les Psaumes[2] et les rouleaux d'Abraham. Ce savant, également très curieux, voulut connaître l'origine d'un tel amour pour le prophète Muhammad. La réponse de l'inconnu impressionna 'Uffân qui s'empressa de l'inviter chez lui pour lui proposer un marché. Si Bulûqiyyâ acceptait de le conduire au royaume des serpents, lui l'aiderait à rencontrer le prophète Muhammad dont la mission était encore lointaine. Il avait lu qu'il existait une herbe particulière, qui, une fois hachée, dégageait un suc merveilleux permettant de marcher sur les mers sans se mouiller les talons. Et il savait que

---

[1] La vie du Christ est racontée dans ces ouvrages écrits en grec par quatre disciples de Jésus, Matthieu, Marc, Luc et Jean.
[2] Recueil liturgique qui ouvre la troisième et dernière partie de la Bible judaïque.

moi seule, la Reine des serpents, j'étais capable de la reconnaître parmi tant d'autres. 'Uffân lui promit de me relâcher dès que je leur aurai indiqué le lieu où se trouvait cette plante magique. Mais une question préoccupait Bulûqiyyâ :

– Pourquoi veux-tu franchir les mers ?

– Pour nous emparer de l'anneau de Salomon[1] afin de régner sur les hommes, les génies, les oiseaux, les bêtes sauvages et toutes les autres créatures. Puis, pour obtenir, après avoir traversé la mer des Ténèbres, l'eau de jouvence, l'eau éternelle qui nous fera vivre jusqu'à la fin des temps. De cette façon, nous pourrons rencontrer le prophète Muhammad.

– Alors, partons sans plus attendre.

Le voyage jusqu'à mon royaume dura plusieurs jours. Lorsqu'ils accostèrent, ils se rendirent au milieu d'une clairière où ils déposèrent une cage avec à l'intérieur deux coupes, l'une remplie de lait et l'autre de vin. Ce qui devait arriver arriva. Attirée par l'odeur du lait de la première coupe, je lui préférai celle remplie de vin, me désaltérai et sombrai aussitôt dans un profond sommeil. À mon réveil, je constatai avec fureur que j'étais prisonnière. En colère, je reprochai à Bulûqiyyâ sa conduite ingrate. Mais il s'empressa de m'expliquer leur projet pour me rassurer. Après d'interminables heures de marche, les deux hommes, harassés, entamèrent l'ascension d'une de ces montagnes

---

1➞ Troisième roi d'Israël et de Juda, fils et successeur de David.

aux pentes verdoyantes. Au milieu des plantes qui cla-
maient chacune leurs vertus, leur attention fut attirée par
ces paroles : «... Sans se mouiller les talons... sans se
mouiller les talons. » Ils s'arrêtèrent pour cueillir cette
herbe, la hachèrent menue, s'en enduisirent minutieusement les pieds et remplirent deux fioles de ce précieux suc.
Retournant sur leurs pas, ils atteignirent la clairière où ils
déposèrent la caisse dont ils ouvrirent la porte afin de
tenir leur promesse. Je m'éloignai très vite profitant de ma
liberté puis me retournai pour les avertir :

– Vous n'atteindrez jamais le lieu où repose Salomon.
Son anneau est un bienfait que Dieu lui a accordé à lui
seul. Vous auriez dû cueillir l'herbe qui maintient vivant
celui qui en mange jusqu'au Jugement dernier...

Après avoir vu 'Uffân et Bulûqiyyâ prendre la fuite
effrayés par mes propos, je me préparai à hiverner comme
chaque année dans la montagne du Qâf[1].

Malgré son envie de connaître la suite, Hâsib Karîm ad-
Dîn interrompit la Reine des serpents pour la supplier de
retourner à la surface de la Terre. Elle refusa. Elle désirait
qu'il soit son hôte jusqu'à l'hiver et qu'il les accompagne à
la montagne du Qâf. Elle avait donc le temps de poursuivre son récit.

1→ C'est une lettre de l'alphabet arabe. Ici, ce lieu imaginaire est un repère de
démons révoltés où les oiseaux chantent les louanges d'un dieu unique.

Bulûqiyyâ au pays de Salomon : mort de 'Uffân

[...] Les pieds enduits du suc de cette plante magique, 'Uffân et Bulûqiyyâ franchirent les sept mers et arrivèrent près d'une montagne dont le sommet se confondait avec le ciel. Tapissée d'émeraudes, sa terre était de musc[1]. Ils devaient avoir atteint leur but. À l'ombre d'une source, ils pénétrèrent dans une grotte surmontée d'une coupole rayonnant de lumière. Un lit d'or et de pierreries incrustées, dressé au milieu de sièges tout aussi précieux, les éblouit. Salomon, dans une robe de soie verte brodée d'or et brochée de diamants, y était étendu, la main droite reposant sur sa poitrine. Au majeur, il portait un anneau étincelant de mille feux.

'Uffân, avant de s'approcher, recommanda à son compagnon de réciter d'une traite les formules censées les protéger jusqu'à ce qu'il s'empare de l'anneau. Puis il se dirigea vers le lit. Les rugissements terribles d'un dragon posté aux pieds de Salomon ébranlèrent les parois de la caverne. La gueule du monstre crachait des étincelles. 'Uffân, imperturbable, se pencha vers le roi. Le feu faillit enflammer les lieux. Effrayé, Bulûqiyyâ s'enfuit. 'Uffân sembla ne s'apercevoir de rien et tendit la main. Dès qu'il toucha l'anneau, son corps se consuma. Horrifié par un tel spectacle, son ami s'évanouit.

L'archange Gabriel[2], obéissant à un ordre divin, se précipita pour protéger Bulûqiyyâ du dragon. Il le ranima

---

1→ Substance brune très odorante.
2→ Archange dont le nom signifie « homme de Dieu » ou « Dieu s'est montré fort ».

puis lui demanda ce qu'il venait faire en ces lieux. À la fin du récit étonnant des aventures du jeune homme, l'archange s'éleva vers les cieux en lui recommandant de s'en retourner chez lui. Le temps de Muhammad était encore lointain !

Bulûqiyyâ dans l'île aux bêtes sauvages

Blessé, Bulûqiyyâ regrettait amèrement de ne pas avoir suivi mes conseils. Je les avais pourtant mis en garde. Il descendit vers le rivage. Fasciné par le spectacle des îles qui scintillaient au milieu des flots, il s'enduisit à nouveau les pieds de suc magique. Alors qu'il marchait sur les eaux, il s'arrêta net devant un îlot, véritable petit paradis. Comment ne pas s'attarder dans ce lieu plein de charmes ? Des terres safran, couvertes de plantes aux mille parfums, s'étalaient à perte de vue. Des roses, du jasmin, des narcisses, des lys et des violettes dessinaient de folles arabesques multicolores. Le gazouillis des oiseaux, le murmure des rivières enchantaient l'ouïe. Des gazelles s'ébattaient. Bulûqiyyâ, pensant qu'il s'était trompé de route, grimpa à la cime d'un arbre alors que le soleil déclinait. Confortablement installé, il ferma les yeux pour se reposer en rêvant à ces merveilles.

Pendant son sommeil, la mer avait commencé à s'agiter. Soudain le rugissement d'un monstre marin le fit sursauter. D'autres bêtes sauvages se tenaient à ses côtés. Chacune portait une pierre précieuse dont les faisceaux éclairaient les lieux. Des troupeaux de lions, de tigres et de guépards rejoignirent bientôt les monstres marins. Les palabres de ces bêtes sauvages se poursuivirent jusqu'à l'aube. Toute la nuit, Bulûqiyyâ, éveillé, assista à ce spectacle étrange attendant le moment où enfin il s'enfuirait. Au petit matin, il s'enduisit les pieds de son suc magique et traversa la deuxième mer.

Voyage de Bulûqiyyâ à travers d'étranges îles

C'est une montagne surgie des flots qui mit fin à une traversée interminable. Le jeune homme, épuisé, se laissa choir sur les rochers. Il crut sa dernière heure venue lorsqu'un fauve troubla son repos. Les lions, les chèvres et les tigres semblaient les seuls occupants de ces lieux déserts. Il eut à peine le temps de s'enduire à nouveau les pieds de suc pour traverser le troisième océan. Après des semaines de marche, il aborda de nouvelles terres. La tempête soufflait sur des arbres regorgeant de sève, l'obscurité était complète. Les ombres d'autres plantes plus sèches dansaient comme des fantômes. Pendant dix jours, Bulûqiyyâ y séjourna en paix, se nourrissant de baies. Le onzième jour, grâce au suc magique, il franchit la quatrième mer, s'arrêta sur une côte de sable blanc, repère de faucons. Puis, il reprit son périple maritime. Aux confins de la cinquième mer, il s'allongea à l'ombre d'un arbre étrange sur une île de cristal où, la nuit tombée, scintillaient, comme des étoiles, de petites fleurs couleur d'or. Au lever du soleil, il continua sa route sur les flots.

La sixième traversée, très longue, le mena vers un rivage rocheux à la végétation dense et ombrageuse. Les fruits des arbres représentaient des visages humains, pendus par les cheveux, hilares ou désespérés ; d'autres figuraient des oiseaux suspendus par une patte ; enfin les derniers, semblables à de la myrrhe[1], laissaient s'échapper des perles brûlantes. Ce spectacle fantastique stupéfia Bulûqiyyâ. Brusquement, l'île entière plongea dans l'obscurité. Le jeune homme eut à peine le temps de se réfugier au sommet d'un arbre où il réfléchit à la diversité des créations divines. Tout à coup, la mer s'agita. De l'écume surgirent des filles de la mer tenant chacune à la main en guise de flambeau une pierre précieuse qui scintillait. Elles dansèrent, chantèrent et jouèrent jusqu'à l'aube avant de regagner leurs demeures marines. Au petit matin, à peine remis de ce spectacle envoûtant, Bulûqiyyâ entama son septième voyage.

Bulûqiyyâ chez les djinns[2] Lorsqu'il débarqua dans une crique escarpée deux mois plus tard, il était affamé. De nombreux pommiers chargés de fruits rouges et luisants bordaient des rivières rafraîchissantes. Bulûqiyyâ, à bout de forces, tendit la main pour cueillir une pomme.

– Si tu la manges, je te coupe en deux.

Ces propos firent sursauter Bulûqiyyâ. En se retournant, il découvrit un géant qui le menaçait :

1→ Aromate.
2→ Voir *Aladin ou la Lampe merveilleuse*, note 1, p. 40.

– N'oublie pas que tu es un fils d'Adam. As-tu déjà oublié comment il pécha[1]?

– De quel droit m'interdis-tu d'y toucher? Qui es-tu? s'étonna le jeune homme.

– Je suis Sharâhiyyâ, le serviteur du roi Sakhr. Cette contrée m'appartient. Et toi, d'où viens-tu?

En déclinant son identité, Bulûqiyyâ amadoua le monstre qui lui offrit des mets délicieux puis l'invita à se reposer. À l'aube, après une bonne nuit, Bulûqiyyâ salua son hôte et s'enfonça vers l'intérieur du pays. Cela faisait dix jours qu'il marchait lorsqu'il aperçut à l'horizon un nuage de sable. Des clameurs parvenaient à ses oreilles. Au loin des silhouettes de cavaliers s'affrontaient à coups de lances, d'épées, de masses, d'arcs et de flèches. Malgré lui, il s'avança. À son grand étonnement, les combats cessèrent lorsqu'il s'approcha de ces drôles de cavaliers qui l'accueillirent en l'interrogeant :

– Comment es-tu parvenu jusqu'à nous, ô étranger?

– Je me suis égaré. Je voudrais rencontrer le prophète Muhammad, répondit Bulûqiyyâ. Et vous, qui êtes-vous?

– Aucun être humain ne s'est jamais présenté dans notre pays. Nous sommes des djinns.

– Pourquoi faites-vous la guerre?

– Chaque année, nous quittons la terre blanche pour combattre, au nom de notre Seigneur, les démons impies du royaume des 'Ad.

1➤ Le geste de Bulûqiyyâ rappelle la faute originelle d'Adam, qui, en goûtant le fruit de l'arbre de la connaissance, désobéit à Dieu.

L'Enfer

L'Enfer est représenté dans le Coran comme un lieu de torture où seront jetés les incrédules et les infidèles. La Géhenne, dont les portes seraient au nombre de sept, est désignée aussi par Nâr ou Ladâ (le Feu), Hutâma (la Consumante), Sa'îr (le Brasier), Jahîm (la Fournaise), Saqar (le Feu ardent), Hâriq (l'Incendie), Hâwiya (l'Abîme). En fonction de la gravité de ses fautes, le pécheur pourra être précipité dans le feu, flagellé, condamné à avaler du feu ou à boire des boissons brûlantes et purulentes qui le consumeront.

– Où se situe cet endroit ?

– Derrière la montagne du Qâf à soixante-quinze années de marche. Prépare-toi à nous accompagner pour que nous te présentions à notre roi Sakhr.

Lorsqu'ils entrèrent un peu plus tard dans un village aux tentes de soie verte disposées en cercle, Bulûqiyyâ remarqua tout de suite celle de soie rouge tendue par des cordes bleues enroulées autour de pieux d'or et d'argent. Les génies l'y conduisirent. À l'intérieur, entouré de djinns, de savants, d'émirs et de notables, le roi trônait sur un lit d'apparat d'or rouge incrusté de perles et de pierres précieuses. Le monarque, après avoir commandé qu'on assoie son hôte à ses côtés, le salua puis s'enquit de son histoire. À la fin de son récit, le jeune homme fut convié à partager un dîner exquis commandé en son honneur et qui s'acheva par des prières à la gloire de Dieu et de son prophète Muhammad. Cette évocation surprit Bulûqiyyâ, qui s'enhardit pour interroger le roi.

– Dieu a créé le feu en sept étages superposés, répondit

le roi Sakhr. Mille ans de marche séparent chaque palier. Le premier, la Géhenne, est réservé aux croyants désobéissants, morts avant de se repentir. Dans le deuxième, Ladâ, on jette les impies. Le troisième a été conçu pour Gog et Magog[1]. Les gens d'Iblîs se consumeront dans le quatrième, as-Sa'îr. Ceux qui ne font pas leur prière seront précipités dans le cinquième, Saqar. Al-Hutâma, le sixième, sera la demeure éternelle des juifs et des chrétiens. Quant aux hypocrites[2], al-Hâwiya, le septième, les brûlera.

– La Géhenne est donc l'endroit où l'on souffre le moins ?

– Certainement ! Mais sois confiant, Muhammad protège ses serviteurs, les flammes contournent le fidèle. Les premières créatures de Dieu jetées dans la Géhenne étaient deux démons, Khâlit tel un lion et Malît qui ressemblait à un loup. La femelle et le mâle s'unirent pour engendrer une multitude de scorpions et de serpents chargés de proliférer et de torturer ceux qui seraient envoyés en enfer. Parmi les sept mâles et les sept femelles issus d'un deuxième accouplement, un seul, Iblîs, désobéit à son père. Sous la forme d'un ver, il se rapprocha de Dieu, mais refusa de se prosterner devant Adam. Chassé du paradis, il engendra des démons et ses six frères furent les génies fidèles dont nous sommes les descendants.

Timidement, Bulûqiyyâ, à la fois ébloui et effrayé par

1→ Dans l'Ancien Testament, ce sont les petits-fils de Noé. Ennemis de Dieu, ces peuples assaillent les hommes.

2→ Ceux qui ont fait semblant de se soumettre à l'islam, tout en œuvrant en cachette contre l'autorité du prophète Muhammad.

ces explications, demanda si un serviteur se chargerait de le reconduire chez lui. Hélas, Sakhr, soumis aux ordres de son seigneur, était impuissant. Le roi n'avait qu'un seul moyen de l'aider : lui offrir une jument. Si son hôte acceptait, elle le transporterait aux frontières de son pays où les troupes de Barâkhiyyâ l'aideraient. Bulûqiyyâ le remercia. Aux confins du royaume, des hommes s'approchèrent de la pouliche qu'ils avaient reconnue. Ils transportèrent Bulûqiyyâ au pied du trône de Barâkhiyyâ qui, assis au milieu des génies-souverains, l'accueillit chaleureusement en lui offrant une collation. Le jeune homme apprit qu'il avait parcouru soixante-dix mois de marche sans s'en apercevoir. Pour honorer son hôte, il entreprit de raconter son long périple au roi qui, enchanté par la présence de cet invité remarquable, le retint deux mois durant.

Même si Hâsib Karîm ad-Dîn ne se lassait pas d'entendre la Reine des serpents lui conter son histoire, il ne put s'empêcher de lui réclamer encore une fois de regagner la surface de la Terre pour rentrer chez lui. Mais, elle lui opposa un nouveau refus. Elle craignait qu'à son retour, il ne se rende au hammam[1]. Sans le savoir, il signerait ainsi son arrêt de mort. Le jeune homme eut beau lui promettre qu'il se laverait chez lui, le reptile refusa d'accorder sa confiance à ce descendant d'Adam. Ce dernier se ressaisit, sécha ses larmes et s'apprêta à écouter la Reine des serpents.

1→ Voir *Ali Baba et les quarante voleurs*, note 1, p. 30.

**Bulûqiyyâ
à la découverte
des merveilles
de ce monde**

[...] Yamlîkhâ reprit son récit là où elle avait été interrompue. À la fin de son séjour chez Barâkhiyyâ, Bulûqiyyâ fit ses adieux. Il marcha très long-temps avant d'arriver au pied d'une montagne au sommet de laquelle un ange invoquait Dieu et priait le prophète Muhammad. Bulûqiyyâ gravit la pente, s'approcha et déclina son identité. Tenant dans ses mains une tablette couverte d'inscriptions noires et blanches, la créature, dont les ailes se déployaient de l'orient à l'occident, invita le jeune homme à expliquer les raisons de sa présence puis se présenta à son tour :

– Mon nom est Mîkhâ'îl, je m'occupe de faire alterner le jour et la nuit, jusqu'au jour de la résurrection.

Bulûqiyyâ, impressionné, le salua puis continua sa route pendant des heures et des heures. En chemin, dans une prairie où coulaient sept rivières, il rencontra quatre génies qui se reposaient à l'ombre d'un arbre immense. Le premier avait une forme humaine, le second celle d'un animal sauvage, le troisième celle d'un oiseau, quant au quatrième il ressemblait à un bœuf. Tous les quatre invoquaient Dieu et honoraient le prophète Muhammad. En se dirigeant ensuite vers la montagne du Qâf, Bulûqiyyâ remarqua un ange gigantesque qui louait son Seigneur et son prophète Muhammad, sans cesser de serrer et de desserrer le poing. Curieux de savoir pour quelle raison il faisait ce geste, le fils du roi d'Israël le questionna.

– Cette montagne entoure la terre, répondit son interlocuteur. Dans ma main, je cache ses veines, et selon la volonté de mon Seigneur, la terre est ébranlée, asséchée ou fertilisée. Elle peut aussi connaître la guerre ou vivre en paix.

– Existe-t-il une autre contrée que celle où tu te tiens? interrogea Bulûqiyyâ.

– Il y a une terre infinie et blanche peuplée d'esprits qui consacrent leur temps à louer le Seigneur et son prophète Muhammad. Au-delà du Qâf, une montagne de neige et de glace, de cinq cents années de marche de longueur protège la terre de la chaleur des Enfers. Plus loin encore, on trouve quarante territoires, d'or et d'argent, quarante fois plus grands que la Terre. Ève ou Adam, ignorant la nuit et le jour, louent Dieu et le supplient d'accorder une nation à Muhammad. L'ange, qui supporte ces terres réparties en sept marches superposées, se tient sur un rocher, lui-même posé sur un taureau, lui-même en équilibre sur un poisson plongé dans une mer immense. Et sous elle Dieu a créé une couche d'air infinie, sous laquelle brûle un feu. C'est la demeure du serpent Falaq capable d'avaler le feu, l'air, la mer, le poisson, le taureau, le rocher, l'ange et tout ce qu'il porte sans même s'en douter.

Bulûqiyyâ en savait suffisamment. Il reprit sa route et rencontra un taureau et un lion, qui gardaient une porte monumentale. Il les salua :

– Je suis un enfant d'Israël qui voyage pour l'amour du prophète Muhammad, mais je suis perdu. Pouvez-vous m'expliquer ce qui se trouve derrière cette entrée?

– Nous la gardons, mais nous ignorons le reste.

– Au nom de notre Seigneur, ouvrez-la.

– Seul Jibrîl[1] , le fidèle, en est capable, s'exclamèrent les animaux.

Les prières de Bulûqiyyâ furent entendues. Les battants s'ouvrirent sur le confluent de deux mers. L'archange Jibrîl invita le jeune homme à avancer puis il referma la porte et se dirigea vers le ciel. Bulûqiyyâ, stupéfait, découvrit une mer immense, faite d'eau salée et d'eau douce, bordée par deux sommets de rubis. Des chants, des louanges de Dieu parvenaient aux oreilles du jeune homme qui s'en approcha. Là une assemblée l'accueillit :

– Ne crains rien, nous nous trouvons sous le Trône. Ces deux montagnes que tu aperçois abritent les eaux de tous les océans du globe. Nous, nous sommes ici pour les acheminer vers la terre et veiller à répartir équitablement eaux douces et eaux salées.

Bulûqiyyâ n'avait plus qu'une seule idée en tête : retourner vers la mer pour la traverser. Heureusement qu'il lui restait du suc magique. Il franchit les océans et sur les flots il croisa quatre anges qui se déplaçaient aussi vite que l'éclair. Jibrîl, Isrâfîl, Mîkhâ'îl et 'Azrâ'îl[2] s'arrêtèrent un instant pour l'interroger. N'avait-il pas rencontré un monstre qui aurait détruit mille villes et dévoré leurs habitants? Dieu leur avait ordonné de capturer et de jeter aux Enfers un énorme serpent apparu à l'ouest. [...]

Bulûqiyyâ ne se laissa pas impressionner. Il continua son périple.

1→ Gabriel.
2→ Ce sont les quatre anges de l'islam. 'Azra'îl est l'ange de la mort, Isrâfîl celui chargé de sonner de la trompe le jour de la résurrection (non cité dans le Coran).

Rencontre de Bulûqiyyâ avec l'homme inconsolable

Un matin, épuisé par ce voyage sans fin, il décida de s'arrêter sur une île où des pleurs, des sanglots inconsolables attirèrent son attention. Il s'approcha. Entre deux tombes, un jeune homme, d'une grande beauté, leva son visage ruisselant de larmes vers Bulûqiyyâ. Après les salutations d'usage, le malheureux pour se consoler l'invita à s'asseoir près de lui. Il voulait entendre son histoire avant de raconter la sienne.

[…] Bulûqiyyâ lui fit part en détail de sa vie : la mort de son père, son héritage singulier, ce parchemin sur lequel il avait déchiffré l'annonce de l'arrivée d'un nouveau messie, son projet de rencontrer ce prophète pour qui il éprouvait tant d'amour. Son interlocuteur soupira avant d'avouer qu'il avait connu Salomon.

En écoutant le long récit de la Reine des serpents, Hâsib Karîm ad-Dîn demeurait silencieux. Même si ces aventures extraordinaires le fascinaient, il persistait à souhaiter son retour à la surface de la Terre. À nouveau, il supplia son hôtesse de lui accorder cette faveur. Elle refusa une nouvelle fois prétextant qu'elle n'avait aucune confiance en lui. Pour la première fois, les serpents le défendirent. Leur princesse n'avait qu'à l'obliger à jurer de ne jamais prendre de bain[1]. Yamlîkhâ finit par céder. Hâsib s'engagea à ne pas se rendre au hammam. Ordre fut donné de le

---

raccompagner à la surface de la Terre. Mais avant de la quitter, il la supplia de terminer l'histoire de ce mystérieux individu inconsolable assis entre deux tombes.

L'enfance heureuse de Jânshâh

[...] Yamlîkhâ exauça sa demande. Le fils du roi Tîghmûs prétendait avoir vu le seigneur Salomon vivant. Autrefois, les terres du royaume de son père, dont la renommée dépassait les frontières, s'étendaient à perte de vue autour de Kâbul. Mais, cet homme juste n'avait toujours pas d'héritier. Les sages, les astronomes, les astrologues et les mathématiciens de son royaume convoqués au palais pour examiner son horoscope finirent par se mettre d'accord : seule la fille de Bahrawân, le roi de Khurâsân, pourrait lui donner le fils qu'il désirait. Le sultan les remercia en les couvrant de cadeaux puis ordonna à son vizir, 'Ayn Zâr, de se préparer à mener cette mission délicate. On rassembla les troupes. Lorsque le convoi de chameaux et de mulets chargés de soie, de joyaux, de perles, d'or et d'argent fut prêt, le souverain remit à son ministre une demande de mariage scellée. Il y invitait son futur beau-père à la lui accorder comme un signe du destin.

Les troupes du vizir 'Ayn Zâr, reçues par les armées du roi Bahrawân, festoyèrent pendant dix jours avant de se rendre en ville. L'envoyé de Tîghmûs, comblé de cadeaux plus riches les uns que les autres, présenta la requête de son souverain. Bahrawân honoré se précipita chez son épouse et chez sa fille pour les consulter. Comment refuser une telle offre ? Le soir même, il convoqua 'Ayn Zâr pour lui annoncer que l'affaire était conclue.

Deux mois plus tard, le vizir de Tîghmûs sollicita la permission de retourner auprès de son souverain. Les préparatifs de mariage s'accélérèrent pour que le roi du Khurâsân célèbre le mariage de sa fille et de Tighmûs en présence des notables, des prêtres et des moines réunis pour l'occasion. La ville brillait de mille feux, les tapis luxueux s'étalaient jusqu'aux portes des murailles. Le cortège chargé d'une multitude d'objets rares et précieux, de parures d'or et d'argent, cadeaux du souverain à sa fille, s'ébranla vers le pays de Tighmûs.

De cette union naquit un garçon beau comme la lune. L'heureux monarque consulta les savants du royaume pour examiner les astres. Une fois la conjonction astrale déterminée, on prédit que l'enfant serait heureux à condition de surmonter un malheur qu'il connaîtrait à l'âge de quinze ans. En attendant, le roi donna la meilleure éducation à son fils qu'il avait appelé Jânshâh. À l'âge de cinq ans le jeune garçon savait lire et connaissait les Évangiles, à l'âge de sept ans il excellait dans les arts martiaux. Il était un cavalier hors pair.

La disparition de Jânshâh

Un jour, le roi convia son fils à participer à une partie de chasse. Les troupes se mirent en ordre derrière les deux hommes. Ensemble, ils traversèrent des régions sauvages et désertes. Le troisième jour, le prince se lança à la poursuite

d'une étrange gazelle d'une couleur indéfinie. Sept serviteurs se détachèrent à vive allure pour protéger Jânshâh
mais l'animal leur échappa en se précipitant dans le courant du fleuve. Les jeunes gens empruntèrent une barque
de pêcheurs pour la capturer. Alors qu'ils s'apprêtaient à
regagner la terre ferme, le prince aperçut une île où il voulut se promener. Lorsqu'ils s'embarquèrent à nouveau
pour rejoindre la rive, la nuit les surprit, le vent se leva
poussant la barque au milieu du fleuve. Ils dérivèrent.

Entre-temps, au palais, Tighmûs, affolé par la disparition de son enfant, avait ordonné d'explorer les moindres
recoins du royaume. En entendant le témoignage du sol-
dat resté sur la berge pour surveiller les chevaux, il versa
des larmes amères. Comment avait-il pu laisser s'éloigner
son fils ? Les recherches durèrent dix jours mais s'avé-
rèrent infructueuses. La mère de Jânshâh, accablée de
douleur, prit le deuil.

Au loin, la tempête avait emporté Jânshâh et ses serviteurs vers un îlot. Échoué sur le rivage, l'équipage assoiffé
chercha une fontaine où se désaltérer. En s'enfonçant à
l'intérieur du pays, ils découvrirent une source où se tenait
un homme qui les salua en sifflant comme un oiseau. Il
effectua alors un mouvement de rotation vers la droite, un
autre vers la gauche avant de se partager en deux. Chaque
moitié de son corps partit de son côté. Jânshâh n'était pas
encore remis de sa surprise qu'un vacarme épouvantable
le fit sursauter. De part et d'autre de la montagne déva-
laient un grand nombre d'étranges créatures qui se divi-
saient en deux à leur tour dès qu'elles atteignaient la

source. Agressives, elles se jetèrent sur le prince et ses compagnons pour les dévorer. Ils eurent juste le temps de regagner leur bateau qu'ils poussèrent sur les eaux. Seuls trois d'entre eux furent capturés, Jânshâh et les rescapés voguèrent nuit et jour sans repères au hasard. Affamés, ils égorgèrent la gazelle pour se nourrir.

Lorsqu'ils accostèrent une seconde fois, de nombreuses rivières serpentaient au milieu d'arbres fruitiers. Ils se crurent arrivés au paradis. Un domestique de Jânshâh proposa de partir en éclaireur mais son maître lui ordonna de les attendre près de l'embarcation pendant que tous les trois s'aventureraient sur ces terres désertes. Au centre se dressait une citadelle aux murailles de marbre blanc protégeant un palais de cristal. À l'intérieur, les gazouillis de milliers d'oiseaux aux couleurs chatoyantes égayaient un magnifique jardin aux parfums envoûtants sur les bords d'un immense lac. Sur l'une des rives, un pavillon éveilla leur curiosité. À l'intérieur, des sièges luxueux formaient un cercle autour d'un lit d'apparat en or rouge incrusté de pierres précieuses. Jânshâh, séduit par ces lieux qui semblaient inhabités, décida de s'y installer.

Jânshâh, un roi prisonnier au pays des singes

À la tombée de la nuit, après s'être nourri de fruits délicieux, Jânshâh s'allongea sur le lit d'apparat pendant que ses serviteurs se calaient dans les fauteuils. La nostalgie les envahit peu à peu tous les quatre. Des larmes aussi abondantes que douloureuses inondaient leurs visages. Mais leur chagrin ne dura pas longtemps. Un cri strident provenant du lac les surprit. En se retournant, ébahis, ils virent des singes aussi nombreux que des sauterelles se précipiter vers eux, s'avancer près du lit, se prosterner devant Jânshâh, se relever en posant une main sur la poitrine.

Un second groupe arriva chargé de gazelles qu'ils égorgèrent, dépecèrent, découpèrent en morceaux avant de les faire griller. Ils choisirent les plus belles pièces, dressèrent un banquet sur des plateaux d'or et d'argent. Par signes, ils invitèrent Jânshâh et ses compagnons à se régaler. Une fois rassasié, par gestes, le jeune homme demanda qui était le maître de cette île et fut étonné d'apprendre que ces lieux avaient appartenu au roi Salomon, fils de David, qui venait s'y distraire une fois par an.

Puis une cérémonie débuta au cours de laquelle les singes exprimèrent leur reconnaissance à Jânshâh en le désignant comme leur souverain. Le lendemain matin, il fut réveillé par quatre ministres de cette étrange assemblée venus lui présenter les affaires courantes à juger. Pendant ce temps, les autres bêtes s'installaient en rangs autour du trône. Soudain, des singes enchaînés, montés sur des chiens aussi grands que des chevaux, firent leur entrée. Les ministres, attentifs, invitèrent Jânshâh et ses hommes à se mettre en selle, puis le cortège s'envola semblable à un essaim de sauterelles. Très vite, la petite bande rejoignit le lieu où l'embarcation de Jânshâh avait échoué. Les conseillers avouèrent avoir eux-mêmes détruit le bateau pour empêcher celui qui allait devenir leur roi de s'enfuir.

Jânshâh désormais prisonnier, devait supporter avec patience son sort. La troupe s'éloigna très vite pour atteindre bientôt les bords d'un fleuve au fond d'une vallée encaissée.

Se sentant observé, Jânshâh leva les yeux. Une armée d'ogres logés sur les parois rocheuses les guettait. Intrigué, il interrogea ses ministres qui lui révélèrent le réel motif de ce voyage : ils étaient venus faire la guerre à ces monstres montés sur des chevaux à tête de vache ou à tête de chameau. Épouvanté, le nouveau souverain n'eut pas le temps de réagir. Les premiers rochers taillés en pointes fusaient de partout, l'ennemi semblait invincible. Jânshâh ordonna à ses serviteurs d'armer les arcs et de lancer les flèches. L'adversaire, surpris par la riposte, fut terrassé en quelques heures. Lorsque les derniers survivants eurent disparu, les vainqueurs s'approchèrent pour déchiffrer la dalle de marbre qui se trouvait là. On pouvait y lire ce message signé de la main de Salomon, fils de David :

« Celui qui pénètre ici deviendra roi des singes ! À l'est, une montagne haute de trois mois de marche permet de leur échapper. Des fauves, des ogres et des génies rebelles tracent la voie jusqu'à l'océan qui entoure la terre. À l'ouest, à quatre mois de marche, la Vallée des fourmis mène vers une montagne semblable à un brasier qui cache un immense fleuve aux chutes d'eaux vertigineuses qui s'assèche chaque samedi. Sur l'autre rive se dresse une cité peuplée de juifs qui nient la religion de Muhammad. Les singes protègent des ogres. »

**Jânshâh
en route vers
la cité des juifs**

Désespéré, Jânshâh, après avoir exigé de ses hommes de la patience, regagna le royaume des singes pour y gouverner durant un an et demi. Un jour, lors d'une grande partie de chasse en compagnie de ses sujets, le souverain s'enfonça dans les terres jusqu'au moment où il reconnut la Vallée des fourmis. La troupe y installa son campement. Un soir, Jânshâh réussit à s'isoler avec ses serviteurs pour les tenir informés de son projet : s'enfuir vers la ville des juifs par la Vallée des fourmis. Il espérait que Dieu les aiderait à se délivrer des singes. Ses compagnons acceptèrent aussitôt de lui obéir. La nuit même, armés d'épées et de poignards, ils prirent la fuite.

Le lendemain, lorsque les singes constatèrent la disparition des quatre hommes, ils se scindèrent en deux groupes pour poursuivre les fugitifs. Le premier groupe partit vers l'est, le second s'engagea dans la Vallée des fourmis et ne tarda pas à rejoindre Jânshâh et ses domestiques qu'ils voulurent éliminer sans succès car des fourmis, aussi grosses que des chiens, surgies de nulle part, les en empêchèrent. Comme un essaim d'abeilles, elles les attaquèrent avec cruauté. Une seule fourmi était capable de trancher le corps d'un singe qu'elle venait de capturer. Par contre, dix singes ne venaient pas à bout d'une seule fourmi ! Jânshâh profita de l'obscurité de la nuit pour s'enfoncer avec ses hommes dans la Vallée sans s'apercevoir qu'il était pourchassé par d'innombrables singes.

Lors des combats, chacun se défendit sans faire attention à un géant aux incisives pareilles à des défenses d'éléphant qui, sauvagement, décapita l'un des compagnons de Jânshâh. Les trois autres hommes, seuls face aux animaux trop nombreux, se réfugièrent au bord du fleuve où se trouvaient des fourmis géantes qui isolèrent Jânshâh. L'un de ses fidèles eut la malencontreuse idée de trancher de son épée l'une des fourmis en deux et fut écrasé par les assaillantes très nombreuses. Les derniers singes profitèrent de cette occasion pour se jeter sur le jeune homme qui, se croyant perdu, se dévêtit et plongea dans le fleuve en compagnie du seul survivant. Ils nagèrent à contre-courant pour atteindre sur l'autre rive un arbre aux branches immenses. Jânshâh réussit à en attraper une pour se hisser sur la terre ferme, mais son dernier compagnon fut emporté par le courant du fleuve.

Jânshâh, seul, harassé, sécha ses vêtements au soleil. Il assista aux dernières luttes entre les singes et les fourmis. Puis la Vallée sombra dans un silence terrible qui inquiéta le prince, effrayé, en proie à la tristesse et à la solitude. Il pleura ses compagnons avant de s'endormir, épuisé par son chagrin. Le lendemain, avec un courage extraordinaire, il reprit son chemin. Il marcha des jours et des nuits, bravant la faim et la soif. Alors qu'il se croyait perdu, surgit au loin la montagne qui semblait brûler comme un feu. Il la contourna pour s'approcher du fleuve qui s'asséchait tous les samedis.

Sur l'autre berge, s'élevait une grande ville, très certainement celle des juifs mentionnée sur la plaque de marbre de Salomon. Jânshâh attendit patiemment que le lit du fleuve soit sec pour le traverser et arriver aux portes de la ville. Un silence impressionnant enveloppait la cité. Il s'arrêta sur le seuil d'une maison où étaient réunies des personnes qui, par gestes, lui offrirent à boire et à manger et l'invitèrent à se reposer. Au réveil, le maître de maison l'interrogea. À ces mots, Jânshâh ne put retenir des larmes qu'il sécha furtivement pour entamer le récit de ses aventures. Son protecteur ignorait le nom même de la ville de Kâbul. Le seul pays qu'il connaissait, le Yémen, se trouvait à une distance de deux années et trois mois. Ces paroles provoquèrent le désarroi de Jânshâh. Comment allait-il rejoindre ce pays, lui qui avait perdu ses serviteurs ? Il se sentait perdu ! Sa mère et son père lui manquaient tant ! Son hôte, le sentant découragé, le consola et lui recommanda d'attendre le passage des caravanes l'année suivante pour reprendre la route.

Jânshâh au service d'un marchand peu scrupuleux

Cela faisait deux mois que Jânshâh était installé dans la cité, lorsqu'un jour au cours d'une promenade, il entendit quelqu'un crier :

– Qui accepte de travailler de l'aube jusqu'à midi pour gagner mille dinars et une femme pleine de grâce et de beauté ?

Comme personne ne s'avançait, il offrit ses services bien qu'il ait tout de suite compris que le travail ne devait pas être sans danger. L'individu l'invita à le suivre. À l'intérieur d'une jolie maison, assis sur un siège d'ébène, un marchand juif le salua et l'invita à partager son déjeuner.

À la fin du repas, le maître de maison s'absenta quelques instants et revint accompagné d'une servante d'une exceptionnelle beauté. S'adressant à Jânshâh, il lui tendit une bourse assez lourde :

– En échange des tâches que je te demanderai d'accomplir, voici ton dû.

Pendant deux jours et deux nuits, on passa son temps à boire, se divertir et rire. Enfin, le commerçant se retira pour laisser son invité dormir auprès de sa domestique. Le lendemain, aux premières heures de la matinée, le jeune homme se rendit au hammam. Là, des esclaves l'attendaient pour lui présenter des habits plus soyeux les uns que les autres.

À la fin de la journée, en rentrant du bain, il fut accueilli par son hôte qui lui déclara que le temps était venu d'accomplir le travail. Jânshâh acquiesça et suivit l'homme qui avait fait préparer deux ânes. Ils partirent et ne s'arrêtèrent qu'à midi devant une montagne impressionnante. À peine le pied posé à terre, le fourbe donna l'ordre au jeune homme d'égorger sa monture, ce que fit aussitôt Jânshâh. Il coupa également les quatre pattes et la tête du pauvre animal, puis s'introduisit aussitôt dans le ventre de la bête comme le lui avait demandé son compagnon qui recousit les chairs et exigea qu'il le tienne informé de ce qui pourrait arriver.

Le commerçant s'éloigna et disparut. Un peu plus tard, un immense oiseau s'abattit sur l'âne, le prit entre ses serres et le transporta au sommet de la montagne. Il s'apprêtait à entamer son festin, lorsque Jânshâh, pressentant le danger, se dégagea des entrailles de l'animal. L'oiseau, surpris, s'envola, abandonnant sa proie au milieu de cadavres desséchés par le soleil. Ce spectacle horrifia le prince. En se penchant, il découvrit son compagnon qui lui criait de lancer des cailloux pour lui indiquer le chemin à prendre. À nouveau, Jânshâh, lui obéit sans se rendre compte qu'il lui jetait des pierres précieuses. En descendant, il constata que le malin avait cette fois-ci bel et bien disparu, emportant avec lui les joyaux. Abandonné, le jeune homme appela au secours mais en vain.

Rencontre de Jânshâh avec le maître des oiseaux

Au bout de trois jours, il reprit sa route. Pendant deux mois, il marcha, se nourrissant de plantes sauvages. Il aperçut au loin au pied de la montagne une vallée boisée où voletaient des oiseaux au plumage multicolore. Plein d'espoir, le prince trouva une faille par laquelle s'écoulaient les eaux et dans laquelle il s'engouffra. Plus loin, il s'arrêta devant les remparts d'un merveilleux château qui s'élevait jusqu'aux cieux. Là, un vieillard appuyé sur un bâton incrusté d'hyacinthe l'invita à s'asseoir et à se présenter. Les sanglots empêchèrent Jânshâh de répondre. Attendri, le vieil homme se leva, alla lui préparer de quoi se nourrir et le réconforta. Le jeune homme raconta alors ses aventures, puis lui demanda qui était le propriétaire de cet endroit.

– Notre seigneur Salomon possède ce palais dont je suis l'intendant. Il m'a aussi donné un pouvoir absolu sur tous les volatiles de ce monde en me nommant, moi, cheikh Nasr, maître des oiseaux. Il m'a appris leur langage. Chaque année, je les réunis tous près de moi.

– Crois-tu, ô maître des oiseaux, qu'un jour je reverrai mes parents ? s'enquit Jânshâh.

– Sois patient. Dès le retour des oiseaux, je te confierai à l'un d'entre eux pour qu'il te ramène dans ton pays. En attendant, sois mon invité.

Quelques mois plus tard, les oiseaux venus des quatre coins du monde se rassemblèrent. Avant de les accueillir, l'intendant du château remit à Jânshâh son trousseau de clés en l'autorisant à visiter chaque pièce à l'exception d'une seule. Malheur à lui s'il ne respectait pas cet interdit ! Le jeune homme visita les lieux. Oubliant ses promesses, il remarqua une porte aux splendides boiseries. La serrure était en or massif ! Il reconnut la fameuse chambre. Pour quelle raison mystérieuse, cheikh Nasr lui en avait-il interdit l'accès ? Curieux, il décida d'y pénétrer.

À peine eut-il introduit la clé dans la serrure que les battants s'ouvrirent sur un magnifique palais d'or, d'argent et de cristal construit au milieu de parterres de fleurs de toutes les couleurs et de toutes les espèces. Des arbres fruitiers au bord de rivières regorgeaient de fruits mûrs. Des ruisseaux abondants se jetaient dans un immense lac sur la rive duquel se trouvait cette splendide demeure dans laquelle il entra. Les sols d'émeraude incrustés de pierres précieuses le guidèrent vers une vaste salle à colonnades qu'agrémentait une vasque d'or bordée d'animaux sauvages ou d'oiseaux sculptés dans de l'or et de l'argent massifs. Des jets d'eau s'échappaient de leurs gueules ou de leurs becs. Jânshâh, émerveillé, remarqua une petite pièce qui s'ouvrait sur ce patio. Sans réfléchir davantage, envoûté par la magie de ces lieux, il s'y introduisit.

Jânshâh et Shamsa : un amour impossible

Un lit d'apparat posé sur un socle d'or incrusté de diamants occupait le centre de la pièce. Il s'y allongea pour contempler ces merveilles et ne tarda pas à s'assoupir. À son réveil, trois colombes s'étaient posées sur les rives du lac. Il s'assit pour admirer le spectacle délicieux qu'offraient ces trois créatures. Quelle ne fut pas sa surprise de les voir retirer leur vêtement de plumes ! Trois jeunes filles apparurent aussi belles que la lune. Jamais il n'avait vu aussi jolies femmes. Elles se baignèrent, jouèrent, rirent aux éclats et revinrent sur la rive. Stupéfait par tant de grâce et de perfection, il entama la conversation :

– Bonjour, qui êtes-vous ? D'où venez-vous ?

– Nous sommes là pour nous distraire, dit la plus jeune.

– Aie pitié de moi, supplia alors Jânshâh.

– Passe ton chemin.

Ces mots assombrirent le visage du jeune homme. Mélancolique, il récita un poème d'amour qui provoqua le rire des trois demoiselles. Jânshâh s'enhardit, s'approcha d'elles pour leur offrir des fruits qu'elles mangèrent. Les jeunes gens s'amusèrent, chantèrent et rirent toute la nuit. Aux premiers rayons de soleil, les trois jouvencelles enfilèrent leur vêtement de plumes et disparurent. Jânshâh, les voyant s'envoler, poussa un grand cri avant de s'évanouir.

Pendant ce temps, cheikh Nasr avait terminé sa réunion des oiseaux et cherchait son protégé à travers son immense palais. Il comprit très vite que le jeune homme avait désobéi. Il se précipita dans l'unique chambre interdite, la trouva ouverte et découvrit Jânshâh gisant à terre. Le vieil homme lui aspergea le visage avec un peu d'eau de fleur d'oranger. Le prince ouvrit les yeux, regarda désespérément à droite et à gauche. Pour qu'il sèche ses larmes, cheikh Nasr lui demanda de raconter ce qu'il avait vu tout en lui reprochant d'avoir désobéi. Il lui conseilla vivement d'oublier ces femmes, des génies qui venaient s'amuser ici une fois par an. Il devait plutôt espérer qu'un oiseau le ramène dans son pays. Le jeune homme soupira : trop tard, il ne vivrait plus que pour retrouver ces jeunes filles. Et même s'il ne les voyait qu'une seule fois par an, il resterait dans ce pays pour être là ! Il supplia son hôte d'avoir pitié de lui et de l'aider.

– Tu as l'air vraiment amoureux, lui répondit cheikh Nasr, si tu le veux, tu peux attendre l'année prochaine. Avant leur réapparition, je te propose de te cacher. Lorsqu'elles se baigneront dans le lac, sans être vu, tu aborderas le rivage pour confisquer le vêtement de plumes de celle que tu aimes. Tu refuseras de le lui rendre quand la jeune fille te le réclamera. Si tu lui obéis, elle s'habillera et s'envolera à nouveau. Tu attendras mon retour de la réunion des oiseaux. J'essayerai de faire ce qui est en mon pouvoir pour te renvoyer dans ton pays avec elle.

L'année suivante à la même époque, les deux hommes exécutèrent leur plan. Au bout de trois jours, le prince dissimulé derrière un arbre commençait à se désespérer lorsqu'il vit se poser près du lac trois colombes. Après avoir vérifié qu'elles étaient seules, elles prirent une apparence humaine, abandonnant sur la rive leurs tenues de plumes et plongèrent dans les eaux turquoise du lac. Soudain, inquiète, l'aînée demanda à ses sœurs :

– N'avez-vous pas l'impression que quelqu'un nous observe ?

– Mais non, rétorqua l'une d'entre elles, depuis l'époque de Salomon ni homme ni génie n'habitent ici.

– Et puis, plaisanta la plus jeune, s'il y a quelqu'un, il ne pourra s'en prendre qu'à moi.

Jânshâh, caché derrière un tronc d'arbre, sentait son cœur battre à tout rompre. Prenant son courage à deux mains, ne pensant qu'à son amour, il se jeta sur la parure de la cadette, Shamsa. Les trois génies surprises, apeurées, s'approchèrent du rivage en dissimulant leur nudité sous les eaux. Tandis qu'elles s'adressaient à lui, il leur répondit sans se retourner :

– Venez près de moi, je vous raconterai d'où je viens.

– Pourquoi as-tu pris mes affaires ? interrogea la plus jeune.

– Quand tu sortiras de l'eau, ô belle jeune fille, je t'expliquerai pour quelle raison j'ai choisi ton vêtement, répondit Jânshâh.

– Rends-le moi d'abord, je dois me couvrir avant de te rejoindre.

– Si j'obéis, je mourrai d'amour.

– Alors recule-toi un peu que mes sœurs puissent sortir de l'eau, s'habiller et trouver de quoi recouvrir ma nudité.

– Je t'attends au palais, rétorqua le prince.

Il s'éloigna. Shamsa le rejoignit après avoir mis la chemise donnée par ses sœurs qui, elles, avaient revêtu leur habit de plumes. Elle prit place aux côtés de Jânshâh sur le lit d'apparat et lui murmura ces paroles :

– Tu es la cause de ma mort et de ta perte. Mais raconte-moi ce qui t'est arrivé pour que je sache tout de toi.

Une fois le récit de son bien-aimé terminé, convaincue de l'amour qu'il lui portait, elle le supplia de lui rendre son vêtement pour retourner chez elle. Promis, elle raconterait ce qu'il avait enduré pour l'amour d'elle et reviendrait ensuite le transporter dans son pays. Plus elle essayait de le convaincre, plus Jânshâh devenait triste. Allait-elle réussir à s'enfuir? Allait-il mourir? La tristesse du jeune homme augmentait et provoquait les éclats de rire de la jeune fille et de ses sœurs. Soudain, au moment où personne ne s'y attendait, Shamsa déclara :

– Tranquillise-toi, je dois t'épouser.

Elle se pencha vers lui. Ils restèrent un long moment enlacés avant de s'asseoir à nouveau sur le lit d'apparat. Au même instant, la sœur aînée de Shamsa leur présenta un plateau d'or chargé de fruits et de fleurs. Ils burent, mangèrent, s'amusèrent jusqu'au retour de cheikh Nasr qui revenait de la réunion annuelle des oiseaux. Lorsqu'il pénétra dans le palais, ils se levèrent et le saluèrent. Il leur souhaita la bienvenue puis, s'adressant à Shamsa, lui recommanda d'être bienveillante envers Jânshâh : le fils du roi de Kâbul l'aimait d'un amour sincère. Pouvait-elle promettre d'être loyale tant qu'elle serait en vie ?

– Je fais le serment solennel d'épouser mon bien-aimé Jânshâh, de ne jamais le tromper, et de ne jamais le quitter, jura la belle jeune fille.

– Quant à toi, jeune homme, remercie ton seigneur d'avoir permis cette union, ordonna le maître des oiseaux.

Shamsa et son bien-aimé de retour à Kâbul

Durant trois mois les deux jeunes gens vécurent heureux dans le château de cheikh Nasr. Puis vint le jour où Shamsa proposa à son mari de retourner dans son royaume afin d'y vivre et de s'y marier. On demanda l'autorisation au cheikh qui conseilla au jeune prince de se rendre au palais pour rapporter à Shamsa son habit de plumes. Quand elle l'eut revêtu, elle ordonna à Jânshâh de s'installer sur son dos, de fermer les yeux et de se concentrer pour ne pas tomber. Avant de s'envoler, elle dit adieu à ses sœurs puis écouta attentivement les conseils du vieillard qui indiqua avec précision où se trouvait la ville natale de Jânshâh. Il lui recommanda encore une fois de prendre soin du jeune homme.

Prenant son envol elle traversa le ciel comme un éclair. Le soir venu, ils s'arrêtèrent dans une clairière où coulait une rivière. Ils s'y désaltérèrent, se nourrirent de fruits délicieux cueillis sur les branches des arbres et s'endormirent sous un oranger. À l'aube, ils reprirent leur course céleste. Vers midi, apparurent au loin les remparts de la ville de Kâbul. Heureux d'avoir parcouru l'équivalent de trente mois de marche, ils s'accordèrent un bref repos dans une vaste prairie. Après ce moment délicieux, Jân-shâh reconnut deux serviteurs du palais qui venaient à leur rencontre. Le premier était celui qui était resté garder les chevaux quand le jeune prince avait poursuivi la gazelle jusque dans la barque ; le second avait l'habitude d'accompagner son jeune maître à la chasse. Fous de joie de se retrouver, ils s'étreignirent. Les deux hommes sollicitèrent la permission d'aller avertir le roi de la bonne nouvelle. Jânshâh donna son accord à condition qu'on leur envoie de quoi se délasser pendant sept jours jusqu'à l'arrivée du cortège qui les ramènerait dans la capitale.

Lorsque Tîghmûs apprit le retour de son fils unique, il ressentit une vive émotion. Une fois ses esprits retrouvés, il ordonna qu'on remercie les deux domestiques en leur offrant des robes d'honneur et une somme d'argent. Il les convoqua pour leur demander des nouvelles de son fils et fut rassuré d'entendre le récit du retour de Jânshâh en compagnie d'une houri[1] sortie du Paradis. En ville, les tambours retentirent. Pendant ce temps, le roi, à la tête de son armée, se dirigeait vers la prairie d'al-Karrânî. De loin, le jeune prince aperçut le cortège. Il s'avança vers les troupes qui, le reconnaissant, se prosternèrent. Jânshâh,

---

1→ Les houris sont des créatures à la peau blanche et aux beaux yeux noirs, qui, selon le Coran, seront au Paradis les compagnes éternelles des musulmans fidèles.

ému, pressé de rejoindre son père, traversa les rangs de cavaliers. Le roi reconnut son enfant, sauta de cheval pour étreindre son héritier. Enlacés, se racontant leurs mésa-ventures, ils se dirigèrent vers les bords du fleuve pour dresser des pavillons afin de s'y installer. On éleva une tente de soie rouge pour Shamsa. À peine eut-elle retiré son vêtement de plumes que le roi et son fils se présen-tèrent à l'entrée de sa nouvelle demeure. Elle tomba à genoux devant le père de son bien-aimé qui la pria de se relever et de s'asseoir à sa gauche. Il souhaita la bienvenue à la jeune fille et demanda à son fils, assis à sa droite de lui conter ses aventures.

Impressionné par les péripéties du prince, Tîghmûs se tourna vers Shamsa, la remerciant vivement de les avoir réunis. Comment faire pour l'honorer ? La jeune fille exprima le vœu d'habiter un palais dressé au milieu d'un parc où coulerait une rivière. La mère de Jânshâh, les épouses des émirs, des ministres et des grands de ce royaume approchaient. Le jeune homme, n'y tenant plus, se jeta dans les bras de sa mère, se laissant aller au bonheur des retrouvailles. Ensemble, ils regagnèrent le pavillon du prince où quelques instants plus tard fut annoncée la visite de Shamsa.

Durant les dix premiers jours, on festoya. Puis le roi rappela qu'il était temps de retourner en ville. On l'avait pour l'occasion magnifiquement décorée. La construction du palais promis par Tîghmûs à Shamsa avait commencé. En cachette de sa future épouse, Jânshâh commanda un coffre aux maîtres marbriers, y enfouit le vêtement de plumes de Shamsa, le fit sceller et l'enterra dans les fondations du palais.

L'envol de Shamsa, le désespoir du prince

Le roi célébra lui-même le mariage des deux jeunes gens. Pour sa nuit de noces, la princesse inaugura sa nouvelle demeure qui venait juste d'être achevée. Dès qu'elle y pénétra, elle reconnut au milieu des odeurs des bois précieux des meubles luxueux, celle de son habit. Elle repéra immédiatement l'endroit où avait été dissimulée la boîte. Elle attendit que son mari sombre dans un sommeil profond pour se lever. Dans le silence de la nuit, Shamsa s'approcha de la dalle de marbre. Elle creusa longtemps et finit par s'emparer du coffre dont elle brisa le plomb qui le scellait. Dans son habit de plumes, le génie s'envola au plus haut du palais. De là, elle réveilla Jânshâh qui accourut sur la terrasse :

– Qu'as-tu fait, malheureuse ?

– Écoute, mon prince adoré ! Mon amour pour toi m'a conduite à te ramener auprès de tes parents que j'ai été ravie de rencontrer. Cependant, si tu m'aimes comme je t'aime, rejoins-moi à la forteresse de Jawhar[1].

Aussitôt, la fille de djinns s'envola et disparut. Jânshâh crut mourir de chagrin, des larmes salées inondaient son visage, ses forces l'abandonnaient peu à peu. Son père, alerté par les gardes, accourut pour soutenir son enfant

---

1➤ Joyau, pierre précieuse.

Le merveilleux
dans les *Mille et Une Nuits*

Même si les contes des *Milles et Une Nuits* appartiennent aujourd'hui à un patrimoine littéraire universel, ils n'en restent pas moins des récits ancrés dans un univers merveilleux où évoluent des personnages propres à la mythologie orientale et arabo-musulmane.

Parmi eux, des devins, des magiciens et des sorciers experts en géomancie (l'un des arts divinatoires les plus anciens) sont présentés comme de savants alchimistes et évoluent dans un espace géographique indéterminé. Leurs pratiques secrètes sont longuement détaillées. Elles transportent le lecteur vers le monde fascinant de l'inexpliqué. Ce dernier est à l'origine des mythes qui renvoient aux désirs et aux craintes de ces hommes confrontés à un environnement hostile. Les îles inhabitées ou le désert deviennent alors des lieux inquiétants, envoûtants, propices à toute manifestation du merveilleux. D'autres créatures, venues tout droit du monde de l'invisible, les djinns, occupent une place essentielle dans les *Mille et Une Nuits*. Vivant dans un espace parallèle à celui des hommes, ils interviennent aussi dans le monde des humains. Selon la volonté de leur maître, possesseur de l'objet magique, ils viennent en aide au héros du conte ou s'opposent à la réalisation de ses désirs. Capables de métamorphoses, certains djinns se marient avec des humains : ainsi en est-il de la femme-oiseau entourée de ses sœurs qui finira par entraîner Jânshâh vers le pays des djinns où se dresse la forteresse de Jawhar. Enfin, certains animaux dotés eux aussi de pouvoirs magiques, comme l'oiseau Roc ou la Reine des serpents, occupent une place privilégiée dans cet univers merveilleux. Surgis de nulle part, vivant dans des endroits inaccessibles, ces étranges personnages, à mi-chemin entre le monde visible des humains et le monde de l'occulte, contribuent à édifier un espace imaginaire à la fois terrifiant et onirique.

évanoui. Quand il ouvrit les yeux, le prince étranglé par les sanglots tenta de raconter la scène. Pour le consoler le souverain promit de se rendre lui-même dans cette forteresse dès qu'il l'aurait trouvée. Il demanderait alors officiellement la main de Shamsa. Les recherches, immédiatement lancées, durèrent deux mois pendant lesquels les plus belles esclaves, les meilleures chanteuses et les musiciennes les plus renommées reçurent l'ordre de distraire le jeune homme éploré. Mais personne dans le royaume ne connaissait cette forteresse dite de Jawhar. Jânshâh, lui, inconsolable, ne cessait de penser à Shamsa dont il se languissait.

Tîghmûs affaibli, son royaume attaqué

Les déboires de Tîghmûs, entièrement occupé par les amours de son fils, parvinrent aux oreilles de Kafîd, roi de l'Inde. Ce monarque puissant et courageux réunit ses vizirs, ses ministres et les chefs de ses armées, bien décidé à profiter des malheurs de son vieil adversaire. Ce chef, à la tête de troupes innombrables, attendait l'occasion, depuis très longtemps, de se venger d'une attaque qui remontait à plusieurs années, au cours de laquelle ses richesses avaient été pillées. Son père et ses frères avaient péri aux combats. Il espérait tuer Tîghmûs et son fils, et annexer leur royaume. On se prépara à la guerre pendant trois mois. Un matin, Kafîd commanda à son armée d'envahir les terres de son voisin.

La nouvelle de l'invasion se propagea assez vite ; Tîghmûs apprit que les soldats ennemis égorgeaient les populations et pillaient le pays. Il convoqua ses conseillers pour organiser la riposte. On revêtit les cottes de maille, les cuirasses, les casques. On s'arma d'épées. On déploya les étendards. Tîghmûs s'installa dans une vallée, celle du Zaharân, située à proximité du campement du roi de l'Inde. Il fit porter une déclaration de guerre à Kafîd qui lui répondit qu'il se sentait prêt à laver l'affront subi il y a longtemps. Lorsque l'émissaire revint, il informa son roi que l'adversaire venu se venger comptait un nombre important de soldats extrêmement bien entraînés. Le souverain en colère ordonna sur-le-champ à 'Ayn Zâr, son vizir, de réunir mille cavaliers pour détruire le camp ennemi dans la nuit. De son côté, Kafîd avait chargé Ghatarfân, son ministre, de conduire cinq mille cavaliers contre les troupes de Tîghmûs. Au coucher du soleil, on s'entre-tua férocement ; les combats d'une violence inouïe cessèrent au petit matin, permettant à Tîghmûs et à ses hommes de se replier.

Courroucé, le roi de l'Inde rassembla aussitôt quinze rangs de dix mille combattants chacun. Il s'entoura également de trois cents guerriers montés sur des éléphants. Pendant ce temps, Tîghmûs, au milieu de cent généraux, déployait son armée en dix rangs de dix mille cavaliers. Le lendemain, les assauts reprirent avec plus d'intensité. D'un nuage de sable s'échappaient des clameurs. L'aube du troisième jour mit fin à une véritable tuerie. Chacun regagna son camp. Kafîd se rendit compte qu'il avait perdu à nouveau cinq mille hommes. De son côté, trois mille des meilleurs chevaliers de Tîghmûs avaient trouvé la mort.

Les deux souverains, offensés, ordonnèrent la poursuite des affrontements jusqu'à la victoire.

Sur le champ de bataille, Barkîk, un valeureux guerrier qui chevauchait un éléphant, sortit des rangs pour proposer de mener les armées du roi de l'Inde vers la gloire. Encouragé par son seigneur, il provoqua l'adversaire. Soucieux de relever le défi, Tîghmûs désigna Ghadanfâr, fils du roi de Kamkhîl.

Monté sur un pur-sang, ce dernier se jeta sur Barkîk, qui se défendit en lui assénant un coup d'épée sur le casque. Ghadanfâr riposta immédiatement et violemment avec sa masse. Il écrasa son rival. Mais une flèche atteignit le genou de Ghadanfâr qui, blessé, de son sabre décapita son ennemi, avant de rejoindre Tîghmûs. Pendant ce temps, le roi de l'Inde, fou furieux d'avoir perdu un de ses champions, lançait ses troupes à l'assaut. La mêlée devint générale, on ne distinguait plus ni les bêtes ni les hommes, on n'entendait plus que les hurlements des soldats et le cliquetis des armes.

À la fin des combats qui se poursuivirent pendant trois jours, Tîghmûs regagna son camp. Il avait perdu cinq mille cavaliers. Quatre étendards s'étaient brisés. Six cents chevaliers ennemis avaient été tués. Kafîd, lui, avait perdu neuf étendards. Il envoya un émissaire demander le soutien d'un autre souverain, Fâqûn le Chien, qui, après avoir réuni sept étendards de sept corps de trois mille hommes chacun, se mit en route.

La quête de Jânshâh

Au palais, Jânshâh s'étonnait de ne plus recevoir de visites de son père. On finit par lui avouer que seule la guerre empêchait le monarque d'être présent depuis deux mois. Aussitôt le jeune homme donna ordre de seller son cheval pour aller le retrouver. Mais une fois sur sa monture, il changea d'avis, préférant retourner dans la ville des juifs où il pourrait rencontrer ce marchand qui l'avait engagé. Peut-être trouverait-il ainsi un moyen de rejoindre son épouse ?

Le prince, accompagné de mille cavaliers, quitta la cité sous les acclamations d'un peuple fier de le voir voler au secours de son père. À la tombée de la nuit, le cortège fit une halte. Jânshâh profita de ce moment de repos pour s'enfuir. Monté sur un étalon, il prit la direction de Bagdad où il espérait rencontrer une caravane qui le mènerait vers la ville des juifs.

Au réveil, les soldats, après l'avoir cherché en vain, informèrent Tîghmûs de la nouvelle disparition de son fils. La colère du roi, sans limites, se transforma peu à peu en un immense chagrin. Même si ses ministres tentaient de le ramener à la raison, comment pouvait-il être patient ? Son adversaire, dont les renforts venaient d'arriver, lui avait infligé de lourdes pertes humaines. Tîghmûs, inconsolable, reconnut la victoire de Kafîd, se replia et fit fermer les accès de sa ville fortifiée. Le siège de la capitale dura sept ans.

Durant toutes ces années, Jânshâh, lui, poursuivait sa route, seul, accablé, le cœur blessé d'avoir perdu sa bien-aimée. Chaque fois qu'il discutait avec quelqu'un, il tentait d'obtenir des informations sur la forteresse dite de Jawhar. Mais personne n'en avait jamais entendu parler ! Il finit par croiser un marchand qui lui indiqua les confins des pays d'Orient où se dressait la cité des juifs. L'homme lui proposa de l'accompagner dans son périple. Ils passeraient d'abord par la ville de Mazarqân en Inde, de là ils rejoindraient Khurâsân pour aller à Sham'ûn ; enfin, ils atteindraient Khwârizm.

Jânshâh connut les souffrances, la faim, la soif mais ne désespéra jamais de rencontrer quelqu'un qui connaisse la forteresse de Jawhar. Le voyage dura de longues semaines avant que le prince n'arrive là où il avait échappé aux singes. Bien plus tard, il aperçut le fleuve qui entourait la cité des juifs. Il attendit le jour où les eaux se retiraient pour le traverser. Il se rendit immédiatement chez son hôte juif qui l'accueillit généreusement après une si longue absence. Le jeune homme sursauta lorsque, au cours d'une flânerie, il perçut une annonce identique à celle d'autrefois :

– Qui veut gagner mille dinars et une belle esclave pour un travail d'une demi-journée ?

Jânshâh, à nouveau, fut le seul à offrir ses services. On le conduisit chez le marchand qui l'avait employé la première fois. Il reçut la même somme d'argent et s'endormit en compagnie d'une belle esclave. De même, le lendemain, les deux hommes, montés sur deux mules, trottèrent jusqu'au pied de la fameuse montagne. Là, le prince exécuta les gestes d'antan : il égorgea sa monture, la dépeça, lui coupa les membres et la tête, s'introduisit sur les ordres de son maître dans les entrailles de l'animal dont les chairs furent recousues. Comme jadis, un grand oiseau vint s'emparer de la bête, et déposa sa proie sur un piton pour la dévorer. Encore une fois, Jânshâh surprit le volatile qui s'envola. Puis, il se pencha vers le commerçant qui l'attendait au pied de la montagne :

– Il y a cinq ans tu m'as déjà trompé. À cause de toi, j'ai connu la faim, le froid, la soif et tous les maux et tu voudrais recommencer ?

Sans attendre sa réponse, tournant les talons, il se dirigea vers le château du maître des oiseaux. Le chemin, très long et très pénible, le mena à la porte du palais de Salomon où cheikh Nasr, l'intendant, se tenait assis. Le vieil homme s'étonna de le revoir sans la princesse Shamsa. Jânshâh lui raconta en sanglotant dans quelles conditions son épouse s'était envolée. Le maître des oiseaux n'avait jamais entendu parler de la forteresse dite de Jawhar. Il proposa au prince de patienter jusqu'à la conférence des oiseaux pour les interroger à ce sujet et l'installa dans le cabinet surplombant le lac où Jânshâh avait vu pour la première fois les trois jeunes filles.

Le jour de la réunion annuelle, aucun participant ne connaissait cette forteresse. Le vieillard convoqua l'un d'entre eux, et lui ordonna de ramener Jânshâh à Kâbul. Au bout d'un jour et d'une nuit de voyage, le volatile, reconnaissant avoir perdu son chemin, se posa sur les territoires du roi des fauves, Shâh Badrî. Le jeune homme l'autorisa à rebrousser chemin. Lui préférait demeurer sur place pour s'informer auprès de ce souverain. Hélas, ce dernier ignorait tout de la forteresse dite de Jawhar, mais il lui promit de se renseigner.

Lorsque l'assemblée des fauves se réunit, chacun fut systématiquement interpellé mais pas un n'était capable d'indiquer où se trouvait cette forteresse. Le roi des fauves eut pitié de Jânshâh. Le voyant découragé, il lui promit de l'envoyer chez son frère, Shammâkh, le roi des djinns. Il lui confia une lettre et, après quelques recommandations, le fit monter sur le dos d'un animal qui s'élança sans tarder. Malheureusement, Shammâkh n'en savait pas davantage! Il l'adressa à un ascète des montagnes qui habitait l'Ermitage des diamants. Ce magicien, Yaghmûs, rusé, fourbe et méchant, s'appuyait sur un bâton formé de trois parties qu'il avait lui-même fabriquées. Lorsqu'il le plantait en terre, il récitait une formule magique : du premier morceau sortait de la viande et du sang, du deuxième du lait, du troisième du blé et de l'orge. Pour transporter Jânshâh, Shammâkh mit à sa disposition un volatile extraordinaire, doté de deux paires d'ailes de trente coudées hachémites[1] chacune, aux pattes semblables à celles d'un éléphant. Pour le nourrir quotidiennement, on découpait deux chamelles. Après un voyage qui dura des jours et des nuits, Jânshâh se retrouva devant l'Ermitage des diamants. Le vieil ermite qui priait dans une chapelle l'interrogea : d'où venait-il ? Après avoir écouté Jânshâh, Yaghmûs lui assura qu'il n'avait jamais entendu parler de cette forteresse bien

---

1➤ Adjectif qui renvoie à une tribu originaire de la péninsule arabique dont certains membres ont longtemps été les gardiens de la ville de La Mecque.

qu'il eût vécu déjà au temps de Noé, prophète de Dieu. Depuis cette époque et jusqu'à l'avènement de Salomon, fils de David, c'était lui qui régnait sur les fauves, les volatiles et les djinns. Ceux-ci, d'ailleurs, devaient bientôt se réunir, il les questionnerait. Le jour venu, personne ne fut capable de le renseigner. Jânshâh, désespéré, implora son seigneur. Le dernier des participants, au plumage noir, de taille considérable, qui était resté silencieux jusque-là, s'avança, baisa les mains du vieillard, et déclara :

– Jeunes poussins, nous habitions mes frères et moi la montagne de Cristal qui se trouve en deçà de la montagne du Qâf. Mes parents avaient l'habitude de s'absenter pour chercher de quoi nous nourrir. Mais une fois, ils restèrent sept jours absents ! Nous crûmes mourir de faim ! À leur retour, bouleversés, ils nous avouèrent qu'un démon les avait enlevés pour les conduire à la forteresse dite de Jawhar. Ils n'eurent la vie sauve que lorsque le maître de ces lieux, Shahlân, apprit qu'ils nous avaient laissés seuls dans le nid.

Les retrouvailles de Jânshâh et de sa bien-aimée

Jânshâh supplia le magicien. Pouvait-il obliger ce volatile à le transporter vers la montagne de Cristal pour lui indiquer l'endroit exact où ses parents se procuraient leur nourriture ? Il fallut pour atteindre le sommet d'un col des semaines de voyage sans halte aucune. L'oiseau avertit son passager qu'ils se trouvaient à la limite des terres connues. Comme le prince épuisé s'était endormi, la lumière d'un éclair dans le ciel le réveilla. Il eut juste le temps d'entrevoir la citadelle sans soupçonner que deux mois de distance le séparaient de ce lieu qu'il cherchait depuis si longtemps. Les rubis et les métaux précieux extraits de la mer des Ténèbres avec lesquels avait été construit ce fort lui avaient valu le nom de Jawhar. Son propriétaire n'était autre que le père des trois jeunes filles rencontrées par Jânshâh.

À son retour, Shamsa, la plus jeune, s'était épanchée auprès de ses parents. Elle leur avait confié ses sentiments pour ce prince qui finirait par la rejoindre. Mais ils n'avaient pas apprécié le comportement de leur fille, encore moins sa fuite. Son père avait convoqué les djinns rebelles auxquels il avait ordonné de ramener immédiatement le premier être humain qu'ils rencontreraient.

Intrigué par cet éclair, Jânshâh voulait en avoir le cœur net. Comme il marchait, il croisa un des serviteurs de Shamsa à qui il dévoila son histoire. Il évoqua la passion qu'il éprouvait pour sa chère épouse disparue. L'inconnu, très ému, lui annonça qu'il était arrivé au bout de ses peines, le prit sur ses épaules et le transporta au palais. Le roi Shahlân, sa femme et leur fille Shamsa ressentirent une joie immense quand ils apprirent la nouvelle. Toute la famille attendait ce moment pour lui présenter des excuses. Monté sur un superbe cheval, entouré de domestiques, de démons et de djinns rebelles, le souverain alla lui-même accueillir Jânshâh qui se prosterna. On le vêtit d'une tunique somptueuse aux multiples couleurs. La soie était entièrement brodée d'or et brochée de pierreries. Sur son front, le père de Shamsa déposa une couronne si belle qu'aucun humain n'en avait jamais portée de semblable. Enfin, on invita le jeune homme à se hisser sur un pur-sang couleur ébène.

Le cortège s'avança jusqu'au seuil de la demeure. En découvrant les chambres d'or, le prince n'en crut pas ses yeux : les murs étaient de pierres et de métaux précieux, les sols étaient parsemés de cristal, de topaze et d'émeraude. On l'invita à s'asseoir à la place d'honneur. On lui servit des mets plus délicieux et plus raffinés les uns que les autres. À la fin du repas, la mère de Shamsa lui rendit visite pour lui souhaiter la bienvenue. Puis elle alla chercher sa fille. Ses sœurs les rejoignirent. La reine supplia alors le jeune homme d'excuser le mauvais comportement de la princesse qui se tenait tête baissée. À ces mots, Jânshâh s'évanouit. Lorsqu'il reprit ses esprits encore troublé, il exprima sa joie et sa reconnaissance envers Dieu qui lui avait permis de réaliser ses vœux. Puis pour remercier ses hôtes, il leur raconta ses multiples mésaventures sans oublier la guerre survenue entre son père et Kafîd.

La mère de Shamsa, bouleversée, prit la parole :

– Reçois Shamsa comme ton esclave. Vos noces seront célébrées dans un mois. Tu retourneras ensuite dans ton pays avec ton épouse. Mille démons rebelles vous accompagneront. Lorsque tu voudras que l'un d'eux détruise tes ennemis, il exécutera tes ordres immédiatement. Chaque année nous t'enverrons une troupe pour te protéger.

Shahlân ordonna d'entamer les préparatifs d'une cérémonie magnifique qui dura sept jours et sept nuits. Enfin unis, Jânshâh et Shamsa vécurent heureux jusqu'au jour où le prince signala à sa femme que deux ans venaient de s'écouler. Or son père avait promis qu'ils séjourneraient une année sur deux dans chacun de leur pays. La princesse s'empressa de rappeler son engagement au roi. Un mois plus tard, le convoi était prêt. Le monarque, chevauchant sa monture, accompagna le couple princier assis sous un dais de soie verte orné de pierres précieuses, qui surmontait le lit d'apparat d'or rouge incrusté de perles, aux quatre coins duquel étaient placés quatre serviteurs. Il avait mis à la disposition de sa fille trois cents esclaves plus belles les unes que les autres. Pour Jânshâh, il avait prévu trois cents fidèles, fils de djinns. Le cortège vola pendant une semaine entre ciel et terre, franchissant chaque jour l'équivalent de trente mois de marche. Enfin, arrivé au royaume de Kâbul, il se posa dans la capitale de Tîghmûs.

Le bonheur de Jânshâh et de Shamsa

Depuis la disparition de son fils et la défaite de ses armées, le souverain vivait retranché dans sa cité assiégée qui s'apprêtait à porter le voile du deuil. Certain de ne pas pouvoir échapper à Kafîd, son rival, il pensait se pendre pour éviter le massacre de son peuple lorsque les djinns de Shahlân survolèrent les remparts. Constatant le désastre, Jânshâh pria son épouse de commander à ses troupes d'attaquer l'ennemi et de confier à Qarâtish, le plus courageux des djinns, la tâche d'arrêter Kafîd.

De violents combats éclatèrent aux portes du palais. Pour assister à l'assaut, la princesse Shamsa, agenouillée aux pieds de son beau-père, proposa de l'accompagner en haut d'une tour. Les affrontements les plus cruels durèrent deux jours. Les fuyards étaient foudroyés par le cri effrayant des djinns. Des dizaines de cavaliers, saisis ou suspendus entre ciel et terre, se fracassaient sur le sol. Parmi eux, Kafîd fut jeté aux pieds de Jânshâh qui ordonna à l'un de ses serviteurs, Samuel, de lui passer les fers avant de l'emprisonner dans la tour noire.

Pendant ce temps, la mère de Jânshâh avait pu embrasser son fils et faire la connaissance de Shamsa. Le royaume se réjouissait du retour du prince. Les portes de la ville s'ouvrirent à nouveau. Des coins les plus reculés, des cadeaux plus riches les uns que les autres furent envoyés pour féliciter Tîghmûs. On célébra, une deuxième fois, les noces de Jânshâh et de sa bien-aimée.

Plus tard, le souverain de Kâbul fit preuve d'indulgence en libérant son ennemi comme le souhaitait ardemment Shamsa. Cependant, elle avait ordonné à un djinn de l'arrêter au cas où il se conduirait mal. Et c'est sur une jument boiteuse que le misérable repartit dans son royaume. Le temps était venu pour Jânshâh de goûter le bonheur de vivre aux côtés de son épouse, entouré de ses proches.

Le malheureux jeune homme, assis entre deux tombes, interrompit son récit pour révéler à Bulûqiyyâ que ce Jânshâh n'était autre que lui-même.

La mort de la princesse Shamsa, le désespoir de Jânshâh

Comment cet individu était-il devenu aussi malheureux? Bulûqiyyâ, qui poursuivait sa quête, n'avait toujours pas saisi. Jânshâh continua son histoire. Il évoqua les temps heureux où il séjournait avec Shamsa une année dans son pays et une autre dans la forteresse de Jawhar. Il décrivit comment, allongés sur leur lit d'apparat, ils parcouraient ensemble les trente mois de marche qui séparaient leurs royaumes. Puis son visage s'assombrit, lorsqu'il se souvint du moment où au cours d'une halte en ces lieux, alors qu'il se promenait sur la berge, Shamsa avait décidé de se baigner en compagnie de ses servantes. Un énorme reptile, surgi de nulle part, l'avait mordue à la jambe. On avait ramené le corps de la princesse sans vie. Très vite, ses parents informés avaient rejoint le prince, inconsolable, qui avait supplié qu'on creuse une tombe à côté de celle de sa bien-aimée pour y reposer. Il avait refusé de suivre Shalân et son épouse, qui étaient repartis, le laissant seul avec ses larmes et son chagrin. Depuis, il attendait de retrouver Shamsa pour l'éternité.

Fin du récit de Yamlîkhâ, la Reine des serpents : Bulûqiyyâ de retour en Égypte

[...] Que devint Bulûqiyyâ après avoir laissé Jânshâh assis entre les deux tombes? Poursuivant sa quête, il marcha des jours et des nuits, traversa une mer immense grâce au suc magique qu'il avait conservé et avec lequel il s'enduisit les pieds. Il s'arrêta bientôt sur une île où un arbre aux feuilles comme des voiles de bateau abritait une table sur laquelle étaient servis d'excellents mets. Il s'en approcha. Sur la plus haute branche, un volatile au corps recouvert de perles et d'émeraudes, aux pattes d'argent, au bec de rubis, aux plumes de métal précieux louait le Seigneur et priait le prophète Muhammad. Il accueillit Bulûqiyyâ :

– Je suis un oiseau du Paradis. Quand Dieu en a chassé Adam, quatre feuilles lui ont permis de cacher sa nudité. Puis elles sont tombées sur la terre. La première dévorée par des vers donna la soie, l'autre croquée par la civette le musc, la troisième mangée par les abeilles le miel. Quant à la quatrième, en tombant en Inde, elle donna le poivre. Pour ma part, Dieu m'a désigné ce lieu où chaque vendredi[1] je reçois les saints, amis du Seigneur, et les hommes les plus vénérés du monde entier. Ils sont hôtes de notre Seigneur qui les nourrit. À la fin du repas, toujours intact comme si personne n'avait mangé, la nappe s'envole vers le Paradis !

S'étant restauré, Bulûqiyyâ, repu, priait lorsque surgit al-Khidr, un homme vénérable. Le jeune homme esquissa un geste de recul mais le volatile lui ordonna de raconter son histoire. Avant de lui obéir, Bulûqiyyâ l'interrogea : à quelle distance se trouvait Le Caire ? Apprenant que quatre-vingt-quinze ans de marche le séparaient de cette ville, abasourdi, découragé, il supplia le saint de l'aider à les franchir ; puis il remit son sort entre les mains de Dieu.

1→ Jour saint et férié de la communauté musulmane.

Sa prière fut entendue, al-Khidr lui demanda de s'accrocher à lui, de bien s'agripper et de fermer les yeux. Lorsqu'il les rouvrit, il se trouvait devant le seuil de sa maison. Il se retourna pour saluer son bienfaiteur mais celui-ci avait disparu. Sa mère poussa un grand cri dès qu'elle l'aperçut. Elle pleura en serrant son fils chéri dans ses bras. Bulûqiyyâ ne put s'empêcher d'exprimer sa joie et son émotion. Sa famille et ses proches le félicitèrent d'être revenu sain et sauf.

Le dénouement heureux de ce récit émut Hâsib Karîm ad-Dîn qui rêvait lui aussi de retrouver un jour sa mère. Cependant les détails des périples de Bulûqiyyâ et de Jânshâh l'avaient frappé. Comment la Reine des serpents en avait-elle eu connaissance ? Elle lui confia alors qu'elle les tenait d'un de ses serviteurs qui les avait entendus du fils du roi d'Israël lui-même. Satisfait de sa réponse, Hâsib Karîm ad-Dîn renouvela sa demande : il souhaitait revenir à la surface de la Terre.

Libéré, Hâsib Karîm ad-Dîn trahit son serment

[...] Yamlîkhâ, la reine, insista : elle redoutait qu'il se précipite au hammam. Pourtant, la nostalgie de son hôte l'attendrit. Elle commanda qu'on le raccompagne jusqu'à la surface de la Terre. Sorti par un puits abandonné, il retrouva le chemin de sa maison. C'est sa mère qui ouvrit la porte en poussant un grand cri de joie. La famille enfin réunie se félicita de ces retrouvailles. Après ce moment de bonheur, Hâsib s'enquit des bûcherons qui l'avaient abandonné dans la fosse au miel. La brave femme lui conta ce qu'ils étaient devenus. Comme elle insistait sur la générosité dont ils avaient fait preuve envers elle, son fils, sans rien lui révéler, proposa de les inviter pour les remercier. La nouvelle de ce retour ne réjouit pas vraiment ses anciens compagnons mais ils acceptèrent l'invitation. En attendant, ils offrirent chacun un vêtement de soie brodé d'or que la mère rapporta à Hâsib, puis après s'être consultés, ils décidèrent de lui léguer la moitié de leur fortune. Considérant que ce qui était arrivé relevait de la volonté de Dieu, le jeune homme accepta leurs dons. [...]

Les années passèrent... Hâsib, devenu un notable fortuné, croisa devant chez lui un ami, possédant un hammam, qui lui proposa d'y entrer. Le fils de Daniel, respectueux de son serment, repoussa l'offre mais l'homme insista. Il s'entêtait et jurait de répudier ses femmes[1] en cas de refus. Hâsib, craignant d'être la cause du malheur de cette famille, finit par céder aux supplications de son hôte. Il venait juste de s'installer confortablement lorsqu'un groupe d'individus se précipita sur lui, l'accusant d'avoir des dettes auprès du sultan, Karazdân. Le grand vizir, informé de l'arrestation du voleur, se rendit au hammam, remercia le propriétaire en lui remettant une bourse pleine de dinars. Il ordonna qu'on ramène le prisonnier au palais. Là, un repas somptueux les attendait. Lorsqu'ils se

---

1► Les renvoyer, ne plus les reconnaître comme épouses.

furent restaurés, Shâmhûr offrit deux robes d'honneur somptueuses à Hâsib et s'adressa à lui :

– Que Dieu soit loué ! Lui, l'Unique a permis que tu sois enfin parmi nous ! Les livres nous ont révélé que tu es le seul capable de sauver notre sultan atteint de la lèpre. Son état de santé se dégrade de jour en jour.

Saisi d'effroi, sans voix, Hâsib fut obligé de suivre le vizir. Après avoir franchi sept portes, ils s'approchèrent de Karazdân. Le maître des sept climats reposait là, le visage couvert d'un voile. Hâsib se jeta au sol pour prier son Seigneur. Le ministre s'avança pour l'aider à se relever. Il l'invita à s'asseoir à la droite du malade. À la fin du repas qu'on venait de lui offrir, il leur proclama solennellement la soumission de l'assemblée à Hâsib. Personne à part lui ne pouvait guérir le roi, on lui faisait entièrement confiance. Alors que le jeune homme, bouleversé par l'état avancé du mal, avouait ignorer la médecine, on lui apprit qu'il connaissait le remède. N'avait-il pas vécu auprès de la Reine des serpents ? Comprenant alors que son bain au hammam était à l'origine de cette nouvelle épreuve, il se désespéra.

La mort de la Reine des serpents

Il tenta de nier l'évidence. Le grand vizir lui montra alors le livre dans lequel il avait lu son histoire. Son séjour de deux ans chez la Reine des serpents y était détaillé. Aucun doute, celui qui était mentionné dans l'ouvrage comme le sauveur du souverain avait le ventre noir comme lui. Et sur ce point, il ne saurait mentir. Les hommes chargés par le vizir de l'arrêter l'avaient vu entrer au hammam et avaient constaté que son nombril avait noirci. Tout ce qu'ils lui demandaient, c'était de leur indiquer l'endroit par lequel il avait regagné la surface de la Terre. Il refusa de s'exécuter, fut fouetté à mort. Lorsqu'il crut perdre la vie sous les coups, il révéla l'entrée du royaume des serpents. Immédiatement, hissé sur un cheval, entouré de soldats, Hâsib fut traîné jusqu'au puits. Le grand vizir mit pied à terre, s'assit et récita des formules magiques en brûlant de l'encens. À la troisième, ce redoutable sorcier ordonna à la Reine des serpents d'apparaître. Là, dans un grand fracas, une porte gigantesque s'éleva tandis que l'eau du puits se retirait. Un serpent, majestueux, semblable à un éléphant, se dressait de toute sa hauteur. De sa gueule et de ses yeux jaillissaient des étincelles. Il portait un plateau d'or sur lequel était installé un autre reptile au visage humain qui illumina les lieux. Dans la plus belle langue qu'on n'ait jamais entendue, la Reine des serpents interpella Hâsib :

– Telle est la volonté de Dieu : tu devais trahir ta promesse, je dois mourir et le roi Karazdân guérira !

Les sanglots l'empêchèrent de continuer. Hâsib ne répondit que par des pleurs. Le grand vizir voulut, lui, s'emparer de la Reine des serpents mais elle le repoussa, le menaçant de le réduire en cendres noires. Elle supplia Hâsib de la porter lui-même sur sa tête. Il obéit. Aussitôt, le puits se referma.

En chemin, le reptile lui prédit ce qui allait arriver. Si Hâsib suivait à la lettre ses recommandations, il devien-

drait un homme sage et le roi recouvrerait la santé.
Comme prévu, en entrant dans le palais, le grand vizir
Shâmhûr pria Hâsib de l'accompagner dans ses appartements. Une fois le plateau d'or déposé, il somma le
jeune homme d'égorger la Reine des serpents. Suivant les
conseils de celle-ci, Hâsib refusa, arguant qu'il n'avait
jamais commis un tel acte auparavant. Sans plus attendre,
ignorant les larmes du jeune homme, le vizir exécuta l'animal dont il découpa la chair en trois morceaux qu'il jeta
dans une marmite. Comme l'avait prévu la reine Yamlîkhâ,
le vizir fut obligé de s'absenter pendant la cuisson. Il
confia donc deux fioles à Hâsib, lui ordonnant de surveiller le feu, de recueillir la première écume et de la boire
afin de s'immuniser contre la souffrance et la maladie,
puis de verser la deuxième dans l'autre flacon. Lui-même
l'ingurgiterait à son retour pour soigner une douleur qu'il
avait dans le dos.

**Comment Hâsib
Karîm ad-Dîn fut
nommé vizir**

À son retour, le vizir sembla très
étonné de ne trouver aucun changement sur le corps de Hâsib qui feignit de ressentir les brûlures d'un
brasier le consumant des pieds à la tête. Le jeune homme
s'empressa alors d'offrir la première écume (selon les
conseils de la Reine des serpents) au misérable sorcier qui
lui demandait le deuxième flacon. Quelques gouttes suf-
firent à faire passer de vie à trépas le méchant homme.
Enfin, pour obéir complètement à la reine, Hâsib avala

avec appréhension l'autre mixture qui ferait de lui un savant.

[…] Un peu plus tard, Hâsib, le fils du vieux sage grec, quittait les appartements du vizir, emportant avec lui les quartiers de chair restants qu'il avait pris soin de déposer sur un plat. En sortant, il contempla les sept cieux, observa les planètes et les étoiles fixes, perça le secret de la gravitation des astres. La configuration des terres et des mers, grâce à la volonté de Dieu, n'avait plus de mystères pour lui qui découvrit la totalité des sciences. Grâce à sa maîtrise de l'astrologie, de l'astronomie, de la géométrie, il comprit le phénomène des éclipses de la lune et du soleil. De même, en regardant la terre, il s'aperçut qu'il saisissait les moindres éléments qui la composaient. Dès lors, il compta approfondir ses connaissances en médecine et en alchimie.

En pénétrant dans la chambre de Karazdân, il lui souhaita longue vie tout en lui annonçant la mort de son vizir ce qui provoqua la colère du souverain. Comment ce grand homme qu'il respectait avait-il pu décéder si brutalement, alors qu'il l'avait vu bel et bien vivant quelques heures plus tôt ?

Après avoir raconté ses mésaventures au roi, Hâsib promit de le soigner. En trois jours aucune trace de la maladie sur son corps ne subsisterait ! Respectant les conseils de la Reine des serpents, il déposa le plateau devant le souverain malade, lui fit manger la première part et déploya un châle sur son visage. Puis, il lui recommanda de se reposer tandis qu'il le veillerait. Il lui versa à boire une seule fois et le

Les sciences à l'époque abbasside

À partir du IXe siècle, les activités scientifiques connaissent dans le monde arabe un essor sans précédent. Des milliers de manuscrits scientifiques et philosophiques grecs, mais aussi perses, indiens et chinois sont traduits et commentés par des savants juifs, chrétiens et musulmans pour qui le calife al-Ma'mûn, fils de Haroun al-Rashid, a fait construire une « académie de la Sagesse » dotée d'une bibliothèque et d'un observatoire. En même temps, de nouvelles découvertes, à la fois théoriques et pratiques, vont révolutionner le monde des sciences. En médecine, on doit au médecin philosophe Rhazès la première encyclopédie médicale en vingt-trois volumes. Le *Canon de la médecine*, ouvrage d'un autre savant, Avicenne (Ibn Cinna), a servi de base à l'enseignement de la médecine en Occident jusqu'au XIXe siècle. L'apport prodigieux de ces activités concerne tous les domaines. Des traités d'astronomie, d'algèbre, de géométrie, de géographie parus à cette époque seront traduits en latin. D'autres disciplines comme la chimie, l'alchimie, la zoologie, la botanique, l'optique et la navigation sont explorées. Enfin, à cette époque, à Bagdad, les savants arabes utilisent des règles graduées, des cadrans solaires, des astrolabes et des boussoles. De nouveaux procédés techniques ou de nouvelles machines comme les norias, les moulins à vent et les machines hydrauliques contribuent au développement de cette société médiévale.

laissa dormir. Le lendemain et le surlendemain, il recommença le même rituel de telle sorte que le souverain digère successivement les trois morceaux du corps de l'animal.

La peau de Karazdân mua, son corps transpira et le monarque se réveilla miraculeusement guéri. Sur les conseils de Hâsib, il se rendit au hammam puis revêtit son plus bel habit et s'assit à nouveau sur son trône. Là, il invita son bienfaiteur à honorer le délicieux repas qu'on leur servit. Bientôt la nouvelle de la guérison du roi se

propagea dans le royaume. On se précipita pour le féliciter. Le souverain Karazdân présenta celui à qui il devait ce
miracle et le nomma sur-le-champ à un rang plus élevé
que ne l'avait été Shâmhûr. Les grands du royaume lui rendirent allégeance. Hâsib, couvert de présents plus somptueux les uns que les autres, fut installé dans ses appartements où se trouvaient trois cents serviteurs, trois cents
concubines belles comme des princesses et trois cents
esclaves éthiopiennes. Les honneurs dûs à un homme
riche et puissant lui furent rendus. La mère de Hâsib était
comblée. Ses proches, comme les bûcherons, les félicitèrent.

Depuis ce jour, Hâsib l'ignorant devint un homme respecté dont la réputation dépassait les frontières. Ses
connaissances dans chaque discipline le rendirent célèbre.
Mais, lui n'avait pas oublié le naufrage de son père. Il interrogea sa mère sur les livres et les écrits qu'aurait dû lui laisser Daniel, ce grand savant. Le moment était venu pour sa
mère de lui remettre le coffret où son époux avait caché les
feuillets. Étonné, Hâsib apprit ce jour-là que la bibliothèque entière de Daniel gisait au fond des eaux. Ces pages
étaient les seules que le vieux sage avait pu sauver pour
que son fils en hérite. Ce dernier se plongea dans leur lecture toute une nuit et comprit avec joie que son père, le
vieux sage grec Daniel, avait inscrit sur ces quelques par-
chemins la science du monde. Enfin heureux et apaisé son
fils Hâsib Karîm ad-Dîn pouvait attendre que le Seigneur
le rappelle à Lui.

POUR EN LIRE DAVANTAGE

Éditions de l'œuvre

Les Mille et Une Nuits, traduction d'Antoine Galland, coll. « GF », Flammarion.

Les Mille et Une Nuits, traduction de Joseph-Charles Mardrus, coll. « Bouquins », Robert Laffont.

Les Mille et Une Nuits, traduction de Jamel Eddine Bencheikh, coll. « Bibliothèque de la Pléiade », Gallimard.

Les Mille et Une Nuits, coll. « Les plus beaux récits pour les jeunes », Dar al Ma'arif (en langue arabe).

Pour aller plus loin...

Les Mille et Une Nuits, ou la Parole prisonnière, Jamel Eddine Bencheikh, coll. « Bibliothèque des idées », Gallimard.

Psychanalyse des Mille et Une Nuits, Malek Chebel, coll. « Petite bibliothèque Payot », Payot.

Sept contes des Mille et Une Nuits, André Miquel, coll. « La bibliothèque arabe », Sindbad.

NOTE DE LA TRADUCTRICE

Au-delà du plaisir de lire, c'est la volonté de donner à découvrir la diversité et la complexité d'une œuvre littéraire qui a conduit au choix de ces trois contes dans un corpus aussi impressionnant et varié que celui des *Mille et Une Nuits*, trop souvent présenté aux jeunes lecteurs comme un simple recueil de contes merveilleux destinés aux enfants. Pour cela, il nous a semblé pertinent de mettre en écho des textes emblématiques comme *Ali Baba et les quarante voleurs*, *Aladin ou la Lampe merveilleuse* et un récit, moins connu, *Hâsib et la Reine des serpents*.

D'une part, cette sélection rappelle les origines diverses, multiples, de ces légendes maniées, remaniées à différentes époques par les nombreuses adaptations orales et écrites des conteurs, des copistes et des traducteurs. Même si les noms des personnages sont d'origine perse, afghane, turque, même si ces histoires viennent de contrées très éloignées, une seule certitude formulée par Jamel Eddine Bencheikh est à retenir : « Ces récits ont été accueillis par la langue arabe. »

D'autre part, tous ces contes également revisités par la religion musulmane sont rassemblés dans le recueil par la magie et le pouvoir de la parole à la fois prisonnière et libératrice. Si Shéhérazade, l'héroïne du conte-cadre, au péril de sa vie, libère les jeunes filles du royaume en transformant le tyran en auditeur impatient d'entendre la fin de ses récits, la Reine des serpents utilise le même procédé avec Hâsib. Prisonnier, ce jeune homme est le destinataire de la parole de la reine qui raconte pour échapper à son destin tragique. Certes, dans ce conte, les similitudes s'arrêtent là puisque la mort de la reine trahie libère le héros enfin initié. Mais, encore une fois la magie de cette parole libératrice a enchaîné trois contes qui, à l'origine, ne devaient pas être emboîtés. Au cœur de cet enchevêtrement, entraîné par les quêtes profane et sacrée des héros, le lecteur découvre enfin, cachée comme un trésor, une belle histoire d'amour. Ces récits, tels des images démultipliées à l'infini par le prisme d'une construction littéraire, illustrent le traitement varié d'un même motif dans une grande variété de récits enchâssés dans la structure complexe des *Mille et Une Nuits*.

Enfin, mettre en rapport l'œuvre et le contexte de production a pu se faire grâce aux périples merveilleux de ces personnages ancrés dans un quotidien daté historiquement. Comme Ali Baba qui ordonne à une porte dissimulée dans un rocher de s'ouvrir, comme Aladin qui découvre au fond d'une grotte la fameuse lampe merveilleuse, comme Hâsib qui au fond de la fosse de miel se fraie un passage vers le monde des ténèbres, le lecteur qui se plonge dans la lecture de ces trois contes crée à son tour ce lien universel entre rêve et réalité en adhérant aux destinées merveilleuses d'un fils de tailleur ou de savant, d'un pauvre vendeur de fagots de bois, d'un amoureux transi ou d'un jeune homme parti à la rencontre d'un prophète, Muhammad.

Parmi toutes les sources possibles, la traduction d'Antoine Galland, celle de Jamel Eddine Bencheikh et d'André Miquel fidèle à la version Bûlâq-Calcutta, et une adaptation pour la littérature de jeunesse en langue arabe ont servi à réaliser cet ouvrage.

TABLE DES MATIÈRES

3   Présentation de la collection
7   Introduction
15   Quelques repères historiques

17   Ali Baba et les quarante voleurs
39   Aladin ou la Lampe merveilleuse
89   Hâsib et la Reine des serpents

159   Pour en lire davantage
161   Note de la traductrice

TABLE DES ILLUSTRATIONS
ET CRÉDITS PHOTOGRAPHIQUES

Couverture :
1er **plat :** Illustration de Clotilde Perrin.
« Aladin transporté par le génie », illustration pour les *Mille et Une Nuits*,
XIXe siècle. Istanbul, bibliothèque de l'université d'Istanbul
© coll. Dagli Orti/The Picture Desk
4e **plat :** Adolph Seel, *Dans l'Alhambra*, huile sur toile, 1886.
Edmond Dulac, *Sindbad le marin transporté par l'oiseau Roc*, illustration pour
les *Mille et Une Nuits*, 1911 © Costa/Leemage.

Supplément illustré :
1 Paul Émile Detouche, dit Destouches (1794-1874), *Schéhérazade*, huile sur toile,
musée Thomas-Henri, Cherbourg © Bridgeman-Giraudon. 2 Jardins de l'Alhambra
© Jean-Dominique Dallet / age fotostock. 3 Adolph Seel, *Dans l'Alhambra*, huile
sur toile, 1886, Dusseldorf, Kunst Palace. 4-5 Eugène Delacroix (1798-1863),
Femmes d'Alger dans leur appartement, huile sur toile, 1834. Paris, musée du
Louvre © Thierry Le Mage/RMN. 6 Marc Chagall (1887-1985), « Kamar al-Zaman
et la femme du bijoutier », encre sur papier, 1948. Indianapolis, Museum of Art /
Carl H. Lieber Memorial Fund © Bridgeman-Giraudon © ADAGP, Paris 2009.
7 Edmond Dulac (1882-1953), *Sindbad le marin transporté par l'oiseau Roc*,
illustration pour les *Mille et Une Nuits*, 1911 © Costa/Leemage. 8 « Aladin
transporté par le génie », illustration pour les *Mille et Une Nuits*, XIXe siècle.
Istanbul, bibliothèque de l'université d'Istanbul © Coll. Dagli Orti/The Picture Desk.

Découvre d'autres **contes**

dans la collection

FOLIO JUNIOR

HISTOIRE D'ALADIN
OU LA LAMPE MERVEILLEUSE

Anonyme

n° 77

Aladin, le fils du tailleur, n'en croit pas ses oreilles : un mystérieux oncle revenu d'Afrique lui offre de devenir marchand d'étoffes. En échange, Aladin devra s'aventurer dans les profondeurs d'un souterrain pour lui en rapporter une lampe magique. Mais rien ne se passe comme prévu. Prisonnier sous la terre, Aladin parviendra-t-il à maîtriser les pouvoirs de la lampe ?

LES CONTES BLEUS
DU CHAT PERCHÉ

Marcel Aymé

n° 433

Delphine et Marinette sont bien imprudentes. Elles ouvrent la porte au loup, recueillent un cerf en fuite et invitent les bêtes de la ferme dans la maison transformée en arche de Noé... Un canard part en voyage et ramène une panthère aux yeux d'or. Un mauvais jars mord les jambes des fillettes, qui se réveillent un matin changées en âne et en cheval. Il se passe des choses très étranges dès que les parents sont partis.

LES CONTES ROUGES
DU CHAT PERCHÉ

Marcel Aymé

n° 434

Delphine et Marinette jouent sagement dans la cuisine de la ferme. Mais une bêtise est si vite arrivée... Vont-elles être envoyées chez la méchante tante Mélina à la barbe qui pique ? Les fillettes ont heureusement de bons amis : le cochon qui joue les détectives, le chien, fidèle et courageux, l'écureuil et le sanglier qui se mettent à l'arithmétique... Quant au canard et au chat, ils n'ont pas leur pareil pour détourner les soupçons des parents...

CONTES CHOISIS
Charles Perrault
n° 443

« Hélas ! mes pauvres enfants, où êtes-vous venus ? Savez-vous bien que c'est ici la maison d'un Ogre qui mange les petits enfants ? »
Cruels et drôles, les contes de Perrault nous parlent des dangers qui guettent petits et grands sur le chemin de la vie. Comment échapper au loup ? Les fées décident-elles seules de notre destin ? Le courage et l'ingéniosité suffisent-ils pour atteindre le bonheur ?

SEPT CONTES
Michel Tournier
n° 497

Pierrot ou les Secrets de la nuit, Amandine ou les Deux Jardins, La Fugue du petit Poucet, La Fin de Robinson Crusoé, Barbedor, La Mère Noël, Que ma joie demeure
« Quand tout le monde peut me lire, même les enfants, c'est la preuve que j'ai donné le meilleur de moi-même. » En effet, Michel Tournier n'écrit pas pour les enfants. Il écrit simplement de son mieux, avec comme idéal la brièveté de La Fontaine, la force de Perrault, la limpidité de Kipling, la naïveté de Saint-Exupéry.

UN CHANT DE NOËL

Charles Dickens

n° 742

C'est la veille de Noël, les rues sont animées et chacun prépare joyeusement le réveillon. Le vieux Scrooge, avare et solitaire, est furieux. Il refuse l'invitation de son neveu et s'enferme chez lui. C'est alors que le fantôme de son ancien associé lui apparaît, suivi bientôt de trois autres spectres, plus inquiétants les uns que les autres. Scrooge est entraîné malgré lui dans un fabuleux voyage à travers le temps.

LE VAILLANT PETIT TAILLEUR ET AUTRES CONTES

Jacob et Wilhelm Grimm

n° 1570

Un petit tailleur qui affronte des géants, deux enfants tombés sous les griffes d'une sorcière, une princesse empoisonnée... Dans le monde impitoyable des frères Grimm, rien ne semble pouvoir triompher de la convoitise et de la cruauté. Mais quand les héros font preuve d'ingéniosité et de courage, même les contes les plus sombres peuvent bien se terminer !

LA REINE DES NEIGES
Hans Christian Andersen
n° 1675

Pour jouer un mauvais tour aux hommes, le diable a fabriqué un miroir qui ne reflète que la laideur des choses. Atteint par un éclat de ce verre maléfique, le petit Kay se laisse entraîner par la Reine des Neiges dans son pays de glace. Gerda, son amie, est bien décidée à le retrouver. C'est le début d'un long voyage à travers le vaste monde…

LA PARURE ET AUTRES CONTES CRUELS
Guy de Maupassant
n° 1705

Un collier de diamants qui change une vie en cauchemar… Un lâche terrorisé par un duel qu'il a lui-même provoqué… Un vieux cheval maltraité par un domestique… Un couple qui n'hésite pas à acheter un enfant… Un vieillard qui ne se décide pas à mourir…
Cinq destins cruels, racontés avec noirceur et drôlerie par l'un de nos plus grands conteurs.

Le papier de cet ouvrage est composé de fibres naturelles,
renouvelables, recyclables et fabriquées à partir de bois
provenant de forêts gérées durablement.

Avec la participation de Pierre Jaskarzec
pour les annexes et le cahier illustré
Direction artistique : Élisabeth Cohat
Maquette : Gatepaille Numédit
Iconographie : Laure Bacchetta

Loi n° 49-956 du 16 juillet 1949
sur les publications destinées à la jeunesse
ISBN : 978-2-07-061498-1
Numéro d'édition : 332020
Premier dépôt légal dans la même collection : septembre 2009
Dépôt légal : février 2018

Imprimé en Espagne (Barcelone) par Novoprint